Les chevaux
[1001]
[photos]

Sommaire

Chevaux sauvages

Chevaux de compagnie

Chevaux de course

Chevaux de dressage

Chevaux d'obstacles

Chevaux d'extérieur

Chevaux de jeux

Chevaux d'exhibition

Chevaux de travail

Métiers du cheval

Chevaux au naturel

Chevaux
sauvages

Le camarguais, déjà connu des
Phéniciens, fait partie des plus
anciennes races du monde.

Le cheval de Camargue compte parmi les plus anciennes races du monde. Certains prétendent qu'il serait d'origine asiatique, d'autres qu'il descendrait du cheval de Solutré, dont on a retrouvé des fossiles sur le site archéologique du même nom, en Saône-et-Loire. Toujours est-il que le camarguais mène depuis plusieurs millénaires une vie isolée dans le delta du Rhône.

On ne le retrouve nulle part ailleurs, son élevage n'ayant jamais franchi les limites du triangle formé par Montpellier, Tarascon et Fos. De son berceau natal, marécageux et pauvre en végétation, il a hérité une grande robustesse. Doté d'un pied sûr et d'un instinct infaillible, il est parfaitement adapté à son milieu. Il représente l'auxiliaire indispensable des fameux gardians camarguais, qui l'élèvent au sein de manades, pour rassembler et surveiller les troupeaux de bovins. La Provence, fière de son petit cheval blanc, le convie à toutes ses fêtes folkloriques : on le voit ainsi chaque année défiler lors des ferias de Nîmes et d'Arles et du pèlerinage des Gitans aux Saintes-Maries-de-la-Mer. Apprécié pour son caractère doux et tranquille, il est en outre utilisé pour l'équitation de loisir comme cheval de randonnée. Sa petite taille, qui se situe autour de 1,40 m, en fait une monture rassurante pour les cavaliers débutants.

Morphologiquement, le cheval de Camargue est un cheval un peu trapu, aux membres musclés et forts. Sa poitrine est profonde, son rein, court. Il a la tête large, des yeux vifs, expressifs, et de petites oreilles très mobiles. Foncée à la naissance, sa robe devient gris clair lorsqu'il atteint six ou sept ans. On rencontre parfois des Camarguais à la robe

Beau, blanc, camarguais

baie, mais les cas sont exceptionnels. Afin d'améliorer la race, les gardians ont pris l'habitude de castrer les moins beaux des jeunes mâles au cours d'un rassemblement annuel.

Dans les années 1950, la race faillit s'éteindre. C'est grâce au tourisme équestre et à l'inscription du camarguais au stud-book en 1968 que son élevage a pu renaître.

[1] Les marécages près des marais salants
sont le territoire des camarguais.
[2] La crinière blanche est l'une des
caractéristiques du camarguais.
[3] Le camarguais est souvent considéré
comme un poney.

[1] Le camarguais est un petit cheval, sa taille ne dépasse pas 1,45 m.
[2] La robe du camarguais est blanche, grisée, parfois truitée.
[3] Le camarguais est souvent accompagné d'oiseaux comme les hérons et les aigrettes.

[4] Le camarguais est un cheval rustique. C'est l'un des rares à être capable de brouter dans l'eau.
[5] Les camarguais sont élevés en totale liberté.

13

[1-2] Le camarguais est capable de résister aux longues abstinences comme aux intempéries, et de réaliser de longues étapes.

[3] Les gardians montent toujours des camarguais pour rassembler les troupeaux de taureaux.

4

5

[4] En plein été, le camarguais ne craint ni la chaleur torride ni les taons, et encore moins les moustiques.
[5] Toujours en liberté, les camarguais ne connaissent pas l'écurie.

15

[1]

[2]

[3] [1] L'économie touristique des Saintes-Maries-de-la-mer est essentiellement fondée sur les balades à cheval avec des camarguais.
[2] Le camarguais doit se déplacer constamment pour apaiser sa faim, car, sur son territoire, l'herbe grasse est peu abondante.
[3] L'étalon camarguais est aussi appelé « grignoun ».

4

5

[4-5] Nés la plupart du temps sans l'aide de l'homme, les camarguais âgés d'un an sont capturés et marqués au fer rouge.
[6] Les juments camarguaises restent groupées toute l'année autour d'un seul étalon.

6

2 [1-2 et page de droite]
Le camarguais a longtemps servi de monture aux camisards des Cévennes. Plus tard, Napoléon le recrute pour équiper sa Grande Armée, et il figure vers 1865 comme bon porteur lors de la percée du canal de Suez.

[1] Les manadiers sont très attachés à leurs chevaux : à leur mort, les plus braves sont enterrés debout avec leur selle.
[2] Domestiqué, le camarguais est un cheval doux, particulièrement adapté à la selle.

[3] La monte des camarguais encore sauvages est l'occasion de fêtes, rappelant les rodéos du Far West.

[4] Une manade est constituée au minimum de quatre juments reproductrices, élevées en totale liberté.
[5] Le jeune poulain camarguais a souvent une robe très sombre qui s'éclaircira vers l'âge de 4 à 5 ans.

21

Le cheval de Prjevalski était
répandu dans toute
la zone des steppes d'Asie
centrale et orientale.

Le tarpan est originaire d'Europe de l'Est, et le cheval de Prjevalski provient des steppes mongoles à la lisière du désert de Gobi. Ces deux chevaux sauvages, longtemps recherchés pour leur viande, chassés par les éleveurs jaloux de leurs pâturages ou encore capturés pour le travail, ne doivent leur survivance qu'à de récentes mesures de protection.

Encore les sujets ne sont-ils pas tous retournés à l'état sauvage. Les Prjevalski n'ont d'abord survécu que dans des zoos. Un programme de réimplantation de la race, commencé en 1992, leur permet peu à peu de retrouver leur liberté. Quant au tarpan sauvage, son extinction a pu être évitée grâce à la reconstitution d'un élevage en Pologne. Ces deux races primitives ont conservé au fil des âges les traits de leurs ancêtres. Robustes, ils possèdent une tête lourde et des membres solides. Le Prjevalski, qui mesure entre 1,20 m et 1,40 m, présente en outre une arrière-main étroite, des canons courts et une crinière hérissée à l'image des zèbres ; le tarpan, plus svelte mais plus petit encore, se distingue par sa raie de mulet sur le dos et des zébrures aux membres.

Le mustang descend des chevaux domestiques introduits par les conquistadores espagnols au XVIe siècle. Certaines montures auraient échappé à leurs maîtres et se seraient reproduites en liberté. Peu à peu adoptés par les tribus indiennes et par les cow-boys, les mustangs existent cependant encore à l'état sauvage, en nombre très réduit. Ils sont alors protégés. Leur taille ne dépasse pas 1,50 m, leurs membres sont forts, leur dos est creux. Ce sont des chevaux frugaux et résistants, au pied sûr. Au contraire du tarpan, farouche, voire intraitable, le mustang devient très docile une fois dressé, et se révèle alors être un bon cheval de selle.

Tarpan, Prjevalski et mustang

[Page de gauche et ci-dessous] Le cheval de Prjevalski, encore appelé tarpan, parcourait jadis librement la plus grande partie de l'Asie centrale mais aussi l'Europe occidentale. Les peintures rupestres de Lascaux, en France, et d'Altamira, en Espagne, en témoignent. Le cheval a peu changé depuis l'âge de pierre : son environnement hostile et son animosité vis-à-vis des intrus l'ont protégé des croisements avec d'autres races.

[1-2] Chassé jusqu'à l'extinction, le tarpan n'existe plus à l'état sauvage : le dernier aurait été vu en 1966. Aujourd'hui, il vit disséminé dans 120 zoos ou enclos privés sur les quatre continents.

[3-4] Le tarpan se reproduit bien en captivité et on en dénombre plus de mille dans le monde.

3

4

27

3 [1-2] Les mustangs sont les descendants de chevaux amenés par les conquistadores au XVIe siècle et retournés en liberté. À l'origine, ce sont des croisements entre des andalous et des barbes.
[3] Approche délicate d'un étalon mustang.

[4] Poulain mustang andalou.
[5] Vente de mustangs
dans le Montana.
[6] Les ventes de mustangs
datent de l'arrivée des colons
aux États-Unis. Aujourd'hui,
comme jadis, elles se pratiquent
aux enchères.

[1] Mustang vient de l'espagnol *mesteño* et du mexicain *monstenco,* mots qui signifient sauvage ou égaré.
[2] Mustang arborant une robe appelée « roan bleu »

[3] En 1900, la population de mustangs s'élevait à plus d'un million de têtes ; aujourd'hui il en subsiste à peine 100 000.

[4-5-6] Certaines tribus indiennes arrivaient à domestiquer les mustangs pour les dresser et les monter. Mais, dans l'immense majorité des cas, elles préféraient acheter ou voler des chevaux déjà domestiqués, soit provenant d'autres tribus, soit des colons ou de la cavalerie.

Chevaux
de compagnie

Le poney fjord a une robe
de couleur isabelle, parfois
grise ou crème. Le museau
est de couleur claire.

L e fjord de Norvège, robuste et vigou-
reux, était traditionnellement le cheval
des Vikings, qui l'utilisaient comme
auxiliaire agricole pour le débardage et les
labours, comme moyen de transport et comme
monture de guerre. Ils organisaient aussi des
combats à mort entre fjords, pour lesquels ils
pariaient.

Le Fjord est un poney charmant, de nature calme,
vivante et courageuse, élevé aujourd'hui en
Europe du Nord, en France, en Grande-Bretagne
et aux États-Unis. Habitué aux conditions de vie
rigoureuses, il sait d'instinct bien se comporter
sur les chemins glissants et
escarpés, ce qui en fait un
excellent cheval de randonnée.
Doté d'un caractère facile, il
figure parmi les chevaux de compagnie les plus
appréciés. Sa robe est isabelle ou gris souris, et il
peut atteindre 1,45 m.
Originaire des îles du même nom, élevé aujour-
d'hui dans le monde entier, le shetland était traditionnellement employé comme cheval de travail
dans les champs et les mines de charbon. À la fois
robuste et petit, il constitue une monture idéale
pour les enfants. Sa robe s'étend du noir à l'alezan, en passant par le bai, le brun et le pie. Quant
à son tempérament, on le dit cabochard et
emporté, mais très gentil… S'il n'est pas réputé
pour produire de bons croisements, on le
retrouve toutefois à l'origine du shetland américain, un poney magnifique, fin et élégant, qui
excelle à l'attelage, et du falabella argentin,
poney minuscule ne dépassant pas les 80 cm.
Les îles Shetland étant pauvres en ressources
alimentaires, la taille du poney a peu évolué
avec le temps et oscille entre 95 cm et 1,05 m.

Poneys fjord et shetland

De cet environnement très rude, le shetland a
cependant acquis une robustesse et une résistance légendaires. Son corps est à la fois
compact, massif et bien proportionné. Ses
membres sont puissants, ses articulations,
solides. Il présente une crinière et une queue
fournies ainsi qu'un poil épais et dense qui
protège du froid hivernal.

[1] Les Vikings utilisaient les fjords comme chevaux de labour ou pour transporter le bois.

[2] Le poulain fjord se lève et tète sa mère, une demi-heure après être né.

[3] Les juments fjords mettent bas après 11 mois de gestation. Bien que leur maturité sexuelle se situe entre 12 et 18 mois, les saillies dans les élevages ne se font pas avant l'âge de 3 ans.

3

[1-2] Le shetland est le plus petit des poneys : sa taille est comprise entre 90 cm et 1,05 m (le plus petit spécimen mesurait 65 cm). Quant à son poids, il se situe entre 150 et 180 kg.

[3] Les poulinages ont généralement lieu dans les pâtures entre avril et juin.
[4] Malgré leur allure docile, les étalons shetlands sont difficiles à monter.

[1] La robe des shetlands est souvent bicolore.
[2] Les shetlands, notamment les mâles, ont une crinière qui leur retombe sur les yeux.

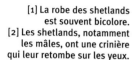

[3] Les juments shetlands sont très maternelles.

4 5

[4 à 7] De nombreuses sélections ont amené à créer des shetlands très petits, appelés mini-shetlands. Ils servent d'animaux de compagnie ou pour l'équitation des enfants.

6

7

41

Ce sont les Amérindiens
de la tribu des Nez-Percés
qui ont sélectionné
les appaloosa.

I l existe une vingtaine de races majeures de poneys, dont beaucoup sont originaires des pays anglo-saxons. Reconnaissable à son œil proéminent, ses naseaux mouchetés et son front large, l'exmoor anglais se distingue par sa grande robustesse qui lui permet d'être monté aussi bien par des enfants que par des adultes, tout comme le new forest, originaire lui aussi du sud de l'Angleterre, caractérisé par sa grande taille, sa bonne allure et sa nature paisible et facile.

Le highland écossais, très ancien, connut de multiples croisements au fil des ans. Associé au pur-sang, il produit d'excellents chevaux de randonnée et de compétition. Le welsh mountain est l'un des poneys les plus attrayants : puissant, élégant, doté d'une intelligence peu courante, il convient comme monture et pour l'attelage. De lui dérivent les autres races welsh, le welsh de section B et le welsh cob, qui, en plus d'être d'excellents compagnons et de bonnes montures, réalisent des performances remarquables en saut d'obstacles. L'islandais, assez proche du fjord norvégien, se caractérise par son allure très agréable : le tölt le rend très confortable à la selle. Deux poneys, particulièrement joueurs et gentils, ont pour berceau l'Argentine : le criollo, à la silhouette compacte et solide, et le falabella, un cheval pygmée dont la taille ne dépasse pas 60 cm. Si ce dernier ne peut pas être monté, il est cependant capable de tracter des charges légères. Côté français, le poney landais est une race à la fois rustique et élégante. Doux et solide, il constitue un bon poney d'attelage. Le poney français de selle est le fruit de multiples croisements qui ont

Autres races de poneys

permis d'obtenir un animal sans caractéristique précise si ce n'est une prédilection pour la selle. On le retrouve fréquemment lors des concours hippiques, des concours complets et des épreuves de dressage.

[1] Ce sont les colons qui ont nommé ces chevaux du nom de la rivière près de laquelle étaient installés les Nez-Percés, la Palouse.

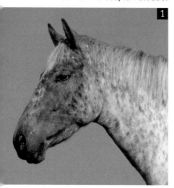

[2-3] L'appellation d'appaloosa désigne à la fois la race de chevaux et une couleur de robe tachetée.

[4]

[4] Poney sauvage
de race dülmen.
[5-6] Le cheval islandais, est
arrivé en Islande avec les
Vikings il y a plus
de 1 000 ans et n'a jamais été
croisé avec une autre race.
Il possède la particularité
d'avoir cinq allures : le pas, le
trot, le galop, le tölt et l'amble.

5

6

45

[1-2] L'icelandic se nourrit de façon frugale. Il est facile à entretenir, peut porter des charges considérables et collabore harmonieusement avec le cavalier.

[3] Le cheval islandais est élevé en race pure depuis plus de mille ans, les frontières de l'Islande ayant été fermées à toute importation de chevaux en l'an 930. À dater de ce moment, plus aucun sang étranger ne fut mêlé à celui de ces chevaux, dont les qualités ancestrales furent préservées intactes. Sur cette île rude faisant partie de la zone polaire, le cheval dut s'endurcir et s'adapter.

[1] Le cheval islandais a longtemps été exporté vers les îles britanniques pour travailler dans les mines, où son courage, sa rusticité et sa docilité le faisaient apprécier particulièrement. [2] Le cheval siciliano est une race locale de Sicile.

[3] La race falabella a été créée dans l'hacienda Reero de Roca, située près de Buenos Aires, en Argentine, par la famille Falabella, à la fin du XIXe siècle. Elle est issue de croisements entre de petits pur-sang et de petits shetlands.
[Page de droite] On compte environ 75 000 chevaux en Islande, utilisés pour la plupart pour l'élevage ou l'équitation.

[1-2] Le falabella est trop souvent considéré comme un animal de compagnie, alors que sa force et ses caractéristiques physiques nécessitent des connaissances équestres minimales.

[3] Le new forest tire son nom d'une forêt située dans le Hampshire, au sud de l'Angleterre, où il vit en liberté.

[4] Rustique et peu exigeant, le poney new forest s'adapte
à toutes les régions d'élevage. À ses débuts en France, il était
principalement implanté en Normandie et dans le Berry. Aujourd'hui,
la Normandie possède près de 40 % de la jumenterie, solidement
établie également dans la vallée de la Loire et le Sud-Est.

Chevaux de compagnie

[Page de gauche et 1 à 4]
Le poney new forest,
« Nouvelle Forêt », a pour
berceau une région du sud
de la Grande-Bretagne dont
il porte le nom. Il vit en
liberté dans les landes,
taillis et marais.

53

[1-2] Introduit en France dans les années 1960, le new forest a séduit par la douceur de son caractère, son calme, ses qualités de robustesse et de docilité.

[3-4] En 1874, dans le petit village d'Hafling, près de Merano, dans le nord de l'Italie, naquit un poulain, fils d'un étalon arabe et d'une jument autochtone. Prénommé Folie, c'était le premier étalon de la race haflinger.

4

[5] Les new forest d'élevage portent le nom de studs, en opposition aux forests vivant en liberté.

5

55

[1-2] En Italie, les haflingers sont appelés avelignese.

[3] Les haflingers s'adaptent à toutes les conditions climatiques, pouvant être élevés aussi bien en plein air qu'en stabulation. Sa fertilité est exceptionnelle et s'accompagne d'une grande facilité à pouliner. Sa nature et son tempérament facilitent beaucoup son élevage et son débourrage.

[Page de gauche] Le haflinger convient aussi bien à la selle qu'à l'attelage.
[1] Poney falabella buckskin, c'est-à-dire à robe couleur de daim.
[2] Le fjord est un petit cheval courageux, doux et rustique, originaire de Norvège. Ici, un étalon.

Avoir un cheval à soi
est le rêve de
beaucoup d'enfants.

Avoir à ses côtés un compagnon privilégié, s'en occuper au quotidien, le panser, le nourrir, l'emmener en promenade : voilà autant d'images romantiques qui surgissent à l'esprit du cavalier ou de l'enfant désireux de posséder son cheval... Certes, il est plus frustrant de rendre visite à son animal dans un club une fois par semaine, au mieux deux heures par jour, que de l'avoir constamment près de soi.

Mais il faut garder à l'esprit qu'un cheval à domicile exige beaucoup de moyens matériels et une grande disponibilité. Le cheval a une nature grégaire et un grand besoin d'espace. Aussi doit-on veiller à lui offrir un environnement propice et adapté, qui lui évitera de dépérir d'ennui. Un box trop étroit, des sorties trop rares, une solitude excessive sont à proscrire. Le premier impératif est donc de lui octroyer un compagnon. Non pas un mouton ou une chèvre comme on le voit souvent, mais un cheval ou un poney, ces deux équidés s'entendant très bien. A défaut d'un pré où il batifolerait à l'envi, il faut lui offrir un box assez grand pour que l'animal puisse tourner, s'étendre, voire se rouler par terre. Il est en outre préférable, sauf en cas d'intempéries, de maintenir ouvert le battant supérieur de la porte du box, ce qui permettra au cheval de regarder ses maîtres aller et venir dans la cour. Une fois ces exigences satisfaites, il faudra encore faire le box, charrier le fumier, vérifier qu'à l'écurie l'eau et la nourriture ne manquent pas et surveiller de près la santé de l'animal : il est nécessaire de le faire régulièrement vacciner, de lui apporter des soins dentaires et de lui administrer deux fois par an des vermifuges pour qu'il ne soit pas envahi de parasites. Le cheval étant très sensible au froid, il faudra le rentrer l'hiver et veiller à lui apporter des couvertures. Le travail est lourd et cependant gratifiant. Plus le cheval recevra de soins et d'attentions, plus il s'attachera à ses maîtres.

Un cheval à domicile

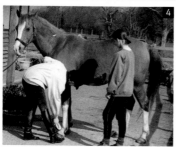

[1] Il faut bien prendre soin de son équipement.
[2] Curer les sabots de son cheval doit se faire avant chaque sortie.
[3] Il faut bien nettoyer la bouche du cheval, très sollicitée par le mors.
[4] Apprendre à soigner son cheval est aussi important que d'apprendre à le monter.

[5] Le cheval reconnaît vite celui ou celle qui le soigne. Une complicité s'installe.
[6] Peigner régulièrement les poils de la queue de son cheval évite qu'ils s'emmêlent.
[7] Brosser son cheval doit se faire tous les jours.

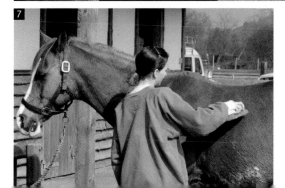

[Page de gauche et ci-dessous] Les compétitions peuvent se pratiquer très jeune. Un équipement est indispensable, comme une bonne « bombe », une selle et des étriers parfaitement adaptés à la taille du cavalier. Avant de monter, tout doit être vérifié et réglé.

[1] Il existe autant de types de selles que de disciplines d'équitation.
[2] Tenu par une longe, le cheval sort de son box.
[3] Le changement régulier de la paille d'un box évite les maladies et les parasites.

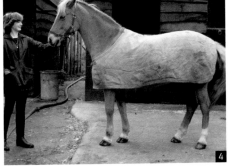
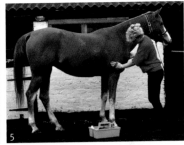

[4] En hiver ou après un effort intense, on recouvre souvent le cheval d'une couverture.
[5] Un dernier brossage avant de seller le cheval.
[6] Le cheval est prêt.

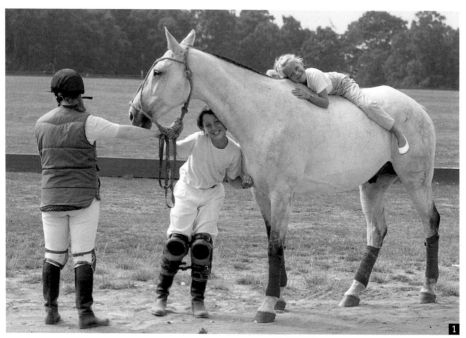

[1] Les chevaux adorent la compagnie des enfants.
[2] Les poulains ont besoin de beaucoup de caresses.

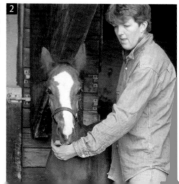

[3] Les selles sont lourdes et transportées dans de grands paniers.
[4] Les enfants attendent leur tour dans ce cours d'équitation.

Le cheval arabe est l'une
des plus anciennes
races au monde.

D'une vigueur exceptionnelle, coura- geux, rapide, c'est la star des équidés, le cheval le plus convoité et admiré. Certaines courses lui sont d'ailleurs réservées. Si ses origines demeurent mysté- rieuses, on sait qu'il doit son endurance et sa force à la vie rude qu'il mena aux côtés des Bédouins dans les contrées arides du Moyen- Orient s'étendant de la vallée du Tigre jusqu'au Yémen.

Dotés d'un tempérament guerrier, ses éleveurs effectuèrent des sélections méthodiques de la race jusqu'à produire une monture rapide, volon- taire et capable de supporter longtemps la charge d'un cavalier : un véri- table cheval de guerre. Fer de lance de la conquête musul- mane, il fut introduit sur la péninsule ibérique et sur le reste de l'Europe à l'occasion des invasions arabes. Adopté par les Occidentaux, il servit à fonder des souches « pures » et à améliorer les autres races. On lui doit notamment la création du pur-sang anglais

et de l'anglo-arabe. Il influença également les autres races équines, en améliorant leur influx nerveux et leur résistance.

De petite taille, il présente des qualités esthé- tiques d'exception. Très fin, avec une tête harmo- nieuse et de petites oreilles mobiles lui donnant l'air intelligent, il est en outre doté d'une particu- larité morphologique à l'origine de son port de queue élevé : il possède dix-sept vertèbres, cinq lombaires et seize coccygiennes au lieu des seize, six et dix-huit habituelles. Agréable animal de compagnie, il fait également des merveilles lors des courses, en attelage et en randonnée. De robe alezane, baie ou grise, il montre une belle crinière, longue et flottante. L'arabe se distingue

Le pur-sang arabe

par son excellent tempérament, qui en fait un agréable animal de compagnie. Il est recherché pour l'équitation de loisir et la randonnée et peut servir au trait léger. Il continue à jouer un grand rôle dans l'amélioration des races équines.

1

2

3 [1-2-3] Le pur-sang arabe
égyptien était à l'origine
le cheval qu'utilisaient les
Bédouins de la péninsule
arabe pour effectuer des
razzias dans les campements
des tribus voisines. Ces
razzias consistaient souvent
en vols de chevaux. Le vol
effectué, il fallait partir vite,
et semer ses poursuivants.
Pour cela, un cheval rapide
était nécessaire.

[4-5-6] En général, seules les juments étaient utilisées lors de ces pillages, parce qu'elles étaient silencieuses et permettaient une approche discrète sans hennissements intempestifs. Elles étaient donc très estimées et très proches de leurs maîtres qui leur permettaient parfois de se mettre à l'abri sous leur tente.

[1-2-3] Les pur-sang arabes existaient déjà en Égypte 2 000 ans avant J.-C. Des fresques en attestent, sur lesquelles on distingue le cheval arabe attelé à des chars.

4
5

[4 à 7] Le pur-sang arabe est un petit cheval mesurant entre 1,44 m et 1,55 m. Les robes les plus fréquemment rencontrées sont le gris, l'alezan, le bai, le bai brun, et parfois le noir.

6

7

[1-2-3] Apprécié pour son caractère très doux, le cheval arabe reste le compagnon idéal pour les loisirs et la promenade.

4 **5**

[4] Le cheval shagya est la version hongroise du pur-sang arabe.
[5-6] De nos jours, on élève les chevaux arabes plutôt pour leur race et leur beauté. Le pur-sang arabe est, de fait, considéré comme un améliorateur de race.

6

[3] L'arabe shagya fut le cheval de guerre des armées de l'empire austro-hongrois puis le cheval de parade de la cour impériale de Vienne.

[1-2-4-5-6-7] Comme tous les chevaux, la jument arabe donne un seul poulain après une gestation de 11 mois.

79

[1-2-3 et page de droite]
Les pur-sang arabes de race pure
possèdent une caractéristique
physique particulière. En effet,
ils ont 17 vertèbres dorsales
et 5 lombaires au lieu
des 18 et 6 habituelles.

Chevaux
de course

Autrefois, le parlement
anglais ne siégeait pas le
jour du Grand National,
compétition très suivie.

Les courses d'obstacles regroupent trois disciplines : le cross, la course de haies et le steeple-chase, l'épreuve reine et de loin la plus spectaculaire. Elle naquit en Irlande en 1752, à l'occasion d'un défi que se lancèrent deux amateurs de chasse à courre. Les cavaliers entreprirent de faire une course sur 7 kilomètres, entre les clochers (*steeples* en anglais) de Buttevant et de Saint-Léger.

De là provient le nom de *steeple-chase* donné à la course. Des épreuves du même type ne tardèrent pas à être organisées dans toute la Grande-Bretagne. En France, les « courses de clocher », nées en 1830, se disputèrent sur l'hippodrome d'Auteuil à partir des années 1870. Le Grand Steeple-Chase de Paris, le plus célèbre du pays, se déroule toujours au même endroit. Aujourd'hui, un steeple s'exécute sur un parcours de 3 000 à 7 000 mètres. Il réclame donc non seulement de la vitesse, mais aussi beaucoup de résistance, d'autant qu'il est ponctué d'obstacles imposants et nombreux (huit au minimum).

Steeple-chase

Il s'agit généralement de rivières, de haies barrées, hautes de 1,15 m et entourées de barrières pour une largeur totale de 1,70 m, de *bull-finches,* buttes de terre cernées et surmontées de haies, d'*oxers,* fossés encadrés de haies et larges de 3 mètres au moins et d'*open-ditches,* fossés suivis d'une haie. Certains obstacles, plus redoutables que d'autres, ont acquis une renommée internationale. Ainsi le Beecher's Brook du Grand National de Liverpool, composé d'une butte de 0,60 m en contre-haut mais de 1,60 m en contrebas, obligeant les chevaux à effectuer des bonds magistraux. Ainsi également la rivière d'Auteuil, large de 4,40 m et précédée d'une haie, qui exige de sauter plus de 6 mètres en longueur. Mythique, le parcours du Grand National est réputé pour être le plus difficile au monde : long de 7 200 m, il ne comprend pas moins de trente obstacles.

[1-2] Le passage de la rivière est un moment très délicat pour les chevaux et les cavaliers.

[3] Au steeple-chase, les chevaux doivent franchir des haies de plus d'un mètre de haut.

[4-5-6] Le Grand National de Liverpool est réputé pour sa difficulté. De nombreuses chutes s'y produisent, ce qui a entraîné la protestation de ligues de défense des animaux.

1 [1-2] Au Grand National de Liverpool, l'obstacle appelé *The Chair* est le plus haut de la course et le plus difficile.

[3-4] Situé en fin de parcours, *The Chair* cause de nombreuses chutes souvent très dangereuses.

[1] Jadis, le départ des courses de chevaux se faisait avec une corde tendue en travers de la piste. Aujourd'hui, chaque cheval est placé dans des *starting stalls*, ou stalles de départ.

[2] Les dessins figurant sur les bombes des cavaliers comme sur leurs tuniques sont le signe de leur propriétaire.

[3] Aussitôt les portes ouvertes, les chevaux s'élancent.
[4-5] La course d'obstacle est très spectaculaire, surtout lorsque tous les cavaliers passent les haies en même temps.

[1-2] Les courses de steeple-chase se font dans de nombreux pays et même sous la neige, comme ici à Saint-Moritz, en Suisse.

[3] Les courses de steeple-chase de Whaddon Chase sont très réputées.

[4] Les stalles de départ permettent à tous les
chevaux de partir en même temps et d'éviter que
ceux-ci se heurtent ou gênent les autres concurrents.

Lorsqu'il est destiné à la course, le cheval suit un entraînement intense dès son plus jeune âge. À dix-huit mois environ, il quitte son haras natal pour être confié à un entraîneur qui, assisté d'un lad, se charge de le débourrer, de le dresser et de l'habituer aux trois allures. Dans un premier temps, on l'emmène faire de longues promenades au pas et au trot pour le muscler.

Ensuite, on passe au travail de la vitesse, du souffle et de l'endurance : au cours de « canters » matinaux, le yearling galope sur de petites distances à une allure modérée. Peu à peu, les parcours s'allongent et la vitesse augmente. Les « bouts-vite » l'entraînent au sprint : il doit alors donner son maximum sur de courtes distances. A l'écurie, les meilleurs soins lui sont réservés. On accorde une attention particulière à sa nourriture, qui doit amener l'athlète en herbe en condition. C'est à deux ans que les chevaux peuvent commencer à concourir. Les courses réservées à cette catégorie d'âge s'effectuent sur des parcours de 1 600 mètres au maximum. À trois ans, les distances peuvent atteindre 3 100 mètres. En fonction de leurs aptitudes, les chevaux sont orientés vers des courses locales ou vers les grandes épreuves nationales. S'ils manquent de rapidité mais font preuve d'un grand talent en saut, ils sont engagés sur les courses d'obstacles, courses de haies d'abord, puis en steeple-chase, cette épreuve se courant rarement avant l'âge de cinq ans.

Si le pur-sang s'élève dans le monde entier, les qualités que l'on attend de lui diffèrent d'un pays

Les lois de la discipline

à l'autre. Aux États-Unis, par exemple, les prix pouvant se courir sur des distances inférieures à 1 500 mètres, on privilégie les grands sprinters. En Europe, en revanche, ils se disputent sur des parcours variant entre 2 000 et 4 000 mètres et demandent donc de l'endurance. Du coup, l'entraînement des pur-sang diverge légèrement des deux côtés de l'Atlantique.

[1-2] Les derbys attirent de très nombreux spectateurs, souvent rassemblés là où la piste amorce une courbe et où le spectacle est le plus impressionnant.

3

4

[3] L'hippodrome de Sandown organise de nombreuses courses.
[4] Face aux tribunes, c'est le sprint final du Royal Ascot.

[1-2 et page de droite] La célèbre station de ski de Saint-Moritz, en Suisse, accueille en hiver de nombreuses activités autour des chevaux : courses sur le lac gelé au plat et au trot attelé ainsi que des matchs de polo.

[1-2] L'échauffement est essentiel pour un cheval de course, il se pratique le matin très tôt.
[3] les jockeys sont d'excellents sportifs qui doivent suivre un régime alimentaire strict.

[4] Les jockeys de steeple-chase portent très souvent des lunettes pour se protéger des brisures de branches, de la terre et de la boue projetées par les chevaux de leurs concurrents.

4

[1] Les grands éleveurs possèdent des écuries où tous les boxes donnent sur une cour intérieure qui sert à la promenade à pied des chevaux.

3 4

[2 à 5] Dès l'aube, les lads jockeys sortent les chevaux, en les faisant marcher dans la brume puis galoper en revenant à l'écurie.

5

[1] Au milieu du parcours, les lads jockeys laissent les chevaux brouter de l'herbe fraîche.
[2] Dès que les beaux jours arrivent, les juments et leurs poulains sont menés au pré.
[Page de droite] Les portes des boxes sont assez basses, permettant ainsi à l'air de circuler et aux chevaux de passer la tête à l'extérieur.

Issu du croisement entre des juments britanniques et des étalons arabes, le pur-sang anglais représente une belle réussite en matière d'élevage sélectif. Doté d'une puissante arrière-main favorisant les étendues souples et rasantes, de membres longs et résistants, d'une petite tête fine et d'une encolure étroite et bien attachée, il possède un corps harmonieux et athlétique taillé pour la vitesse.

La race est relativement récente. Elle fut créée entre les XVIIe et XVIIIe siècles. Trois arabes importés en Angleterre entre 1690 et 1729, Byerley Turk, Darley Arabian et Godolphin Arabian, sont à l'origine des trois chefs des lignées actuelles, Matchem, Herod et Eclipse, cheval légendaire s'il en est puisqu'il remporta vingt-six victoires en course sur autant de participations. C'est au XVIIe siècle toujours que le monde des courses commença à se structurer et à se codifier. L'Angleterre, qui avait à sa tête un cavalier passionné, Charles II, fut pionnière en la matière. On prit alors coutume de classer les chevaux par sexe et par âge lors des rencontres ; on vit l'apparition au début du siècle suivant des premiers hippodromes dignes de ce nom, le premier ayant été inauguré à Newmarket sur une terre de chasse royale ; le Jockey-Club, toujours en place aujourd'hui, fut instauré pour diriger les activités équestres ; les grandes rencontres comme le derby d'Epsom, le Saint-Léger ou encore les Oaks furent organisées peu après. Ainsi, l'Angleterre donnait le ton et offrait un modèle d'infrastructure qui allait largement inspirer les autres pays. Au XIXe siècle, la France instaura son Jockey-Club, calqué sur l'institution anglaise, et construisit des hippo-

La saga des pur-sang

dromes de renom, où furent créées d'illustres réunions comme le Prix de Diane, la Poule d'essai et le Grand Prix de Paris.

On distingue les courses de plat, d'obstacles et de trot. Pour ces dernières, on utilise des montures croisées avec des pur-sang. Le trotteur français, issu d'étalons anglais et de juments normandes, est le meilleur de la spécialité.

3 [1-2-3] Le saut de la rivière du Grand National de Liverpool est l'un des moments clefs de la course.

[4-5-6] Les chevaux de course aptes au steeple-chase doivent être à la fois rapides, agiles et surtout peu craintifs pour aborder les obstacles.

[1-2] Les chevaux de course sont souvent d'un niveau si proche que la victoire ne se fait souvent que d'une encolure.
[3] Les courses de chevaux sont très suivies par les Anglais, qui parient beaucoup sur leurs chevaux favoris.

[4] Les stalles de départ sont montées sur roue et déplacées grâce à des tracteurs suivant la longueur de la course.
[5] À l'arrivée, le jockey relâche lentement les rênes pour que le cheval s'arrête en douceur.
[6] L'emballage final.

3 [1-2-3] Le Grand National attire de nombreux concurrents et de nombreux spectateurs car les sauts de haie y sont spectaculaires.

4

[4-5] Avant le départ, les chevaux et leurs cavaliers passent devant les tribunes. Les grooms les tiennent pour éviter qu'ils ne s'écartent.

5

[1-2] C'est dans la dernière ligne droite que les jockeys demandent à leurs chevaux de fournir leur plus grand effort.

[3] Les courses de plat d'Ascot sont réputées dans toute l'Angleterre. Les meilleurs galopeurs s'y affrontent. L'hippodrome est situé dans un immense parc aux arbres centenaires.

[1-2-3] Après la course, les gagnants se retrouvent avec leurs propriétaires. Les hommes arborent des chapeaux haut de forme et les femmes des coiffes souvent extravagantes.

[4-5] Complètement couchés sur leurs chevaux, les jockeys cravachent leurs montures pour passer la ligne en premier.

[1-2-3] La tribune d'Ascot a été construite il y a 150 ans. Face à la ligne d'arrivée, elle a fait l'objet de nombreuses rénovations. Dans les parties les plus hautes, on trouve des cabines privées réservées aux VIP, notamment aux membres de la famille royale.

Chevaux
de dressage

Les lipizzans et leur robe
blanche sont les chevaux
préférés des grandes écoles
de cavalerie.

C'est à Xénophon (IVᵉ siècle avant J.-C.), général, philosophe et historien grec, que l'on doit le premier traité d'art équestre. Il fut une source d'inspiration incontestable pour les grands maîtres italiens de la Renaissance, qui inaugurèrent la tradition de l'équitation académique en Europe.

Si leurs recherches furent d'abord motivées par les impératifs militaires, exigeant des techniques de cavalerie toujours plus poussées et une soumission parfaite du cheval de guerre, elles donnèrent parallèlement naissance à un art sophistiqué, dont le principe de base consistait à rendre au cheval monté les attitudes qu'il avait en liberté. Ainsi les sauts d'école que sont la courbette, la croupade et la cabriole correspondent aux sauts naturels du cheval, que l'on nomme respectivement le cabré, la ruade et le bond.
La France domina longtemps cette discipline. François Robichon de la Guérinière (1687-1751), directeur du manège des Tuileries pendant trente ans, créa la « manière française », monte tout en finesse, légère et sans contrainte, et inventa des exercices encore pratiqués de nos jours comme les « travers » et le « renvers », croupe et tête appuyées au mur, ainsi que l'« épaule en dedans », exercice d'assouplissement.
De nos jours, deux institutions règnent sur le monde du dressage académique. L'école espagnole de Vienne a conservé sans le transformer l'art équestre classique de la Renaissance. Le lipizzan à la robe blanche en est le cheval attitré. À la

À l'académie de l'art et de l'élégance

fois robuste et élégant, il est issu du croisement d'étalons andalous et de juments autochtones. Le Cadre noir de Saumur, fondé en 1764, est la seule école à pouvoir rivaliser avec celle de Vienne. Elle perpétue l'enseignement du comte d'Aure, de Baucher et de L'Hotte, qui la dirigèrent au XIXᵉ siècle.

[1] Les plus grands élevages de lipizzans sont en Autriche, en Slovénie, en Croatie et en Hongrie.

[2] Le cheval andalou incarne à la fois la noblesse, la grâce et la beauté, alliées à la puissance.
[3] Les juments lipizzans partent à l'enclos avec leurs poulains.

[4] Le blanc pur de la robe des lipizzans est caractéristique de la race.
[5] C'est dans les monts Bükk du nord de la Hongrie que l'élevage des lipizzans est le plus répandu.

125

[1-2-3] L'école espagnole d'équitation de Vienne est la seule institution au monde qui conserve et cultive, sans le transformer, l'art équestre classique de la haute école, de la Renaissance à nos jours.

[4-5-6] Des années d'entraînement finissent par souder cheval et cavalier, formant une unité indissociable. C'est un moment inoubliable qui s'offre au spectateur tant les mouvements précis des lipizzans sont en harmonie avec la musique.

[1-2-3] Les représentations de gala se font dans le cadre grandiose du palais impérial de Vienne conçu par l'architecte baroque Joseph Emmanuel Fischer von Erlach. À l'époque, c'était ici que les jeunes nobles apprenaient à monter à cheval.

[4-5-6] L'harmonie parfaite entre l'homme et le cheval s'exprime dans une chorégraphie équestre composée de piaffers, passages, pirouettes, changements de pied, sauts, levades, courbettes et cabrioles ainsi que du travail aux longues rênes.

[1] En Hongrie, les lipizzans sont élevés en totale liberté.
[2] Le poulain andalou a une robe qui deviendra plus foncée en grandissant.

[3] Les poulains lipizzans naissent avec une robe pratiquement noire, qui va devenir grise puis blanche à l'âge adulte.
[4] La robe des andalous est quelquefois très claire, mais les andalous noirs et bai sont les plus recherchés.

131

C'est un travail de tous les jours pour dresser un cheval et obtenir de lui notamment de trotter, allure qui n'est pas innée chez le cheval.

Le dressage a pour but de rendre le cheval « calme, souple, délié et flexible, mais aussi confiant, attentif et perçant », stipule le *Manuel de la Fédération équestre internationale*. Même s'il se destine à la course ou au saut d'obstacles, tout cavalier se doit donc de connaître les rudiments de cette discipline, ce qui lui permettra d'accéder à une parfaite entente avec sa monture.

Les concours de dressage, apparus au début du XXe siècle, se déroulent aujourd'hui sur des pistes de 60 mètres sur 20 mètres, selon un programme en musique, libre ou imposé (la « reprise »). Les juges sanctionnent par des notes les figures, les arrêts et les changements d'allure, ainsi que le cavalier, le cheval, et la paire qu'ils forment. Les reprises de bas niveau comportent des exercices simples, dont l'arrêt, le reculer et le changement de direction aux trois allures ; le cheval doit ici montrer sa franchise et son impulsion, et le cavalier notamment une bonne tenue en selle et une position correcte des jambes. L'épreuve olympique du grand prix s'adresse aux cavaliers de plus haut niveau. Il leur est demandé d'exécuter des airs d'école, non pas les sauts, qui sont réservés aux cavaliers de Saumur et de Vienne, mais des exercices complexes réclamant des années d'entraînement, comme le piaffer, un mouvement diagonal très rassemblé, cadencé et élevé, donnant l'impression d'un trot sur place, le passage, trot ralenti élevé, ou encore des changements de pied effectués au galop. Ici, le cheval doit être droit et « en main »,

Figures imposées du dressage

c'est-à-dire qu'il ne doit opposer aucune résistance à son cavalier. Les chevaux de dressage sont idéalement élégants, souples, maniables et énergiques. Les meilleurs sujets se rencontrent dans les élevages allemands, hollandais et russes.

[1-2-3] Le dressage permet d'atteindre à la pureté et la perfection des allures. Le trot appris, les chevaux de concours seront ensuite dressés pour effectuer des allures plus complexes comme le piaffer et le passaga.

[4-5-6] La tenue du cavalier sur sa monture est aussi importante que l'allure du cheval. Le buste doit toujours être droit.

[1-2-3-4] L'hippodrome de Goodwood, au sud de l'Angleterre, est le centre de nombreuses compétitions équestres, mais aussi de courses automobiles.

[5-6-7] Les célèbres courses de dressage de Goodwood ont lieu chaque année fin juillet pendant une semaine. Les plus grands cavaliers s'y affrontent.

137

[1-2-3 et page de droite]
Lors des épreuves de
Badminton, en Angleterre,
les cavalières sont les plus
nombreuses. Elles portent
une bombe très particulière
en forme de chapeau melon.

[1-2] Pour un cavalier, participer au concours de dressage de Badminton est déjà une récompense.
[3] Goodwood attire chaque année des milliers de visiteurs.

[4-5-6-7] L'allure du cheval et de son cavalier comptent presque autant que les performances sportives pour gagner les compétitions.

[1] Le frison, avec sa robe de couleur unique, sa longue crinière et ses allures particulièrement relevées, a longtemps été le cheval réservé exclusivement aux seigneurs.

[2-3] Cette race a pour origine un unique cheval nommé Justin Morgan. C'est un cheval très polyvalent allant du travail sous la selle à l'attelage en passant par des travaux agricoles pénibles.

[4-5] Les haflingers sont des chevaux énergiques, puissants et de belle allure, surtout grâce à leur crinière claire qui contraste avec leur robe.

Le dressage des chevaux
attelés demande beaucoup de
rigueur et de patience.

La mécanisation de l'agriculture au début du XXe siècle puis la motorisation faillirent bien provoquer la disparition du cheval de trait. Grâce à quelques amateurs passionnés, la tradition de l'attelage a cependant pu revivre. Les concours, qui se sont récemment multipliés, attirent chaque année de plus en plus de participants.

Séparés en fonction du nombre de chevaux attelés, ils comportent trois épreuves : le dressage, le marathon et le parcours d'obstacles. La première débute par la présentation, où sont évaluées la tenue et la beauté des chevaux, la propreté du harnachement et l'élégance de la voiture, et se poursuit par une reprise aux mouvements imposés, le trot, le pas, l'exécution de cercles et le reculer. L'épreuve de fond se déroule dans un temps limite sur un parcours de 20 à 30 kilomètres divisé en cinq sections, dont trois sont à effectuer au trot à des vitesses différentes, et deux au pas. Les sections de trot sont semées d'obstacles naturels. Les concurrents doivent faire preuve d'une adresse certaine pour contourner les barrières et les arbres, traverser les cours d'eau ou encore passer les portes étroites. S'ils mettent le pied à terre, détellent ou renversent la voiture, ils sont pénalisés. L'épreuve d'obstacles, chronométrée, se court dans une vaste carrière au parcours étroit et sinueux, ponctué de ponts de bois, de murs et de gués. Certaines races de chevaux conviennent mieux que d'autres à l'attelage. Il s'agit notamment du frison hollandais, du hackney britannique, du lipizzan et du morgan américain et, pour les

Traditions et règles de l'attelage

poneys, du welsh cob, du shetland, du haflinger et du landais français. Les concours autorisent les attelages composés de races de chevaux différentes, mais exigent dans ce cas que les robes soient bien assorties.

[1-2] Les harnais des chevaux sont souvent faits de cuir très travaillé.

[3] Le dutch warmblood est le type du cheval d'attelage. C'est un cheval aux allures très relevées, voire extravagantes, destiné aux compétitions d'attelage.

[4-5] Les holsteins sont des chevaux de saut d'obstacles mais qui se dressent aussi parfaitement pour former des attelages.

[1] L'attelage se pratique aussi avec des poneys.
[2] Souvent, chez les Britanniques, c'est un couple qui conduit l'attelage.
[3] La race des poneys canadiens trottingbred est très employée en attelage.

[4] Deux frisons s'échauffent avant de participer à l'épreuve combinée de dressage et de conduite.
[5] La race des poneys welshs est aussi utilisée en attelage.
[6] Les fjords sont des chevaux d'attelage très doux et faciles à manier.

[1-2] Il n'y a pas de tenue vestimentaire type pour participer aux concours de conduite et de dressage attelés.

[3] Le welsh cob ou cob gallois est un poney issu du croisement d'un poney celte avec des pur-sang arabes.

150

[4] Craintif, le poney welsh est très souvent équipé d'œillères.
[5] Le morgan est un cheval nord-américain à la robe le plus souvent noire.

[1] Un welsh cob participe à une épreuve de conduite et de dressage.
[2] L'attelage de deux holsteins est d'une très grande élégance.

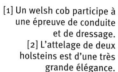

[3] Comme son nom l'indique, le poney connemara est originaire des lacs et des tourbières du Connemara, en Irlande, près de Galway.

Chevaux de dressage

[4-5-6] Les voitures des attelages sont très différentes les unes des autres : elles peuvent accueillir deux, quatre ou six passagers.

[1 à 6] Le marathon est une épreuve chronométrée très spectaculaire car les chevaux et leur attelage doivent franchir des gués. Les voitures, très solides, sont adaptées à ce type de compétition et possèdent des freins à disque. Les participants sont munis de casques car les chutes et les renversement de voiture sont fréquents.

Chevaux
d'obstacles

Le jumping, parfois nommé
CSO (concours de saut
d'obstacles), est une
discipline très spectaculaire.

Discipline phare des sports équestres, le saut d'obstacles (ou jumping) jouit d'une immense popularité, sans doute en raison de son côté spectaculaire et de la diversité des épreuves qui évitent toute monotonie pour les concurrents comme pour le public. Il est particulièrement exigeant pour les chevaux, qui doivent faire preuve à la fois de franchise sur l'obstacle, de puissance, de maniabilité, d'équilibre et de rapidité.

Le dressage nécessite une entente parfaite entre le cavalier et sa monture, fondée sur un solide dressage et une vraie complicité. Les premiers concours hippiques furent organisés en Irlande et en France à la fin des années 1860. Leur succès fut tel que l'on décida d'inscrire des épreuves de saut d'obstacles aux jeux Olympiques de Paris en 1900. Mais la technique des cavaliers d'alors limitait la hauteur des obstacles : se tenant en arrière, les concurrents alourdissaient et déséquilibraient le cheval. Vers 1930, Danloux, un colonel français enseignant à l'école de cavalerie de Saumur, suggéra d'adopter la monte en avant, le bassin libre, déjà en vogue parmi les cavaliers américains et italiens. Le principe de la « monte en suspension » a à peine changé depuis.

Aujourd'hui, selon les épreuves, un parcours officiel comporte entre six et quinze obstacles mobiles, verticaux ou larges. Les éléments verticaux comprennent les barrières, les murs, les palanques, les haies et les barres. Les éléments larges sont la rivière, l'oxer et la barre de spa (une suite de barres de plus en plus hautes), ces deux derniers demandant un effort tant en hauteur

Saut d'obstacles

qu'en longueur. En réalité, la difficulté réside moins dans la taille des obstacles que dans leur disposition. Un tracé sinueux rend leur abord peu commode, tandis que l'enchaînement de plusieurs obstacles n'autorisant qu'une ou deux foulées entre chacun d'eux exige de la vigueur, mais aussi beaucoup d'équilibre et de souplesse.

[1] En plein saut, le cavalier accompagne son cheval dans l'effort.
[2] Les membres inférieurs des chevaux sont protégés pour éviter les blessures lors d'un choc avec une barre.

[3] Lors du plané, le cheval s'étire, vole au-dessus de l'obstacle tout en repliant ses membres au maximum.
[4] Les cavaliers s'apprêtent à monter à cheval.

HICKSTEAD →
HICKSTEAD →

3 [1] La réception après l'obstacle est très délicate. [2-3] L'abord de l'obstacle conditionne la réussite du saut.

[4] Un saut parfait pour ce cheval qui semble voler.
[5] La complicité entre le cavalier et le cheval est essentielle au jumping.

163

[1] Le passage du mur est très difficile, car cette masse fait souvent peur aux chevaux.

[2 à 5] Aux premiers jeux Olympiques modernes, tenus à Paris en 1900, les épreuves équestres comprenaient le saut en longueur et le saut en hauteur. En 1912, à Stockholm, on ajoute le concours complet échelonné sur trois jours. Chaque jour correspond à une épreuve distincte, soit le dressage, l'épreuve d'endurance et le saut d'obstacles, où cavalier et monture doivent démontrer leurs habiletés respectives. Depuis lors, ces trois disciplines figurent aux jeux Olympiques d'été.

[1 à 6] Le spectacle « Horse of the year » (Cheval de l'année), qui attire une foule importante en Angleterre, présente les chevaux qui se sont distingués lors de précédentes manifestations.

4

5

6

167

2

[1-2] Les plus grands cavaliers s'affrontent aux courses d'obstacles de Hickstead, en Angleterre.

[3-4] L'obstacle franchi, le cavalier relève la tête pour appréhender la prochaine difficulté.

La Belgique est une nation
qui se distingue lors des
courses d'obstacles.

Avec le dressage et le concours complet, le saut d'obstacles est l'une des trois disciplines équestres à figurer au programme officiel des jeux Olympiques. Un Championnat du monde de jumping est également organisé tous les quatre ans, en alternance avec les Jeux.

Entre-temps, la Coupe du monde, qui se dispute chaque année en hiver, et la Coupe des Nations, également annuelle, permettent de s'affronter régulièrement en attendant ces deux épreuves prestigieuses. À l'échelle nationale, les CSO (concours de sauts officiels) se divisent en classes A, B, C et D, selon le niveau des cavaliers. Il existe de nombreuses épreuves de jumping. Dans celles qui sont courues sous le barème A, l'aptitude au saut est le facteur déterminant. Chaque faute « coûte » ici un certain nombre de points. Ainsi, un obstacle renversé ou un sabot posé dans l'eau lors du saut de la rivière entraîne quatre points de pénalité, un premier refus coûte trois points, le deuxième, six, et le troisième est éliminatoire. L'épreuve de puissance est courue sous ce barème. Son parcours doit comporter quatre à six obstacles simples, dont au moins un mur ou un élément vertical d'environ 1,80 m de hauteur. En cas d'égalité pour la première place, un parcours plus court est monté, appelé « barrage », qui est disputé au chronomètre.

Jugées sous le barème C, les épreuves doivent démontrer la vitesse du cheval. Le règlement officiel stipule qu'ici « les parcours doivent être sinueux, les obstacles très variés ». L'épreuve de chasse, où les fautes commises sont converties en autant de secondes supplémentaires, et les épreuves dites de vitesse et de maniabilité entrent

Tout un programme

dans cette catégorie. Parmi les épreuves spéciales, citons l'épreuve à l'américaine, qui prend fin dès la première faute commise, les relais, l'épreuve contre la montre et le « choisissez vos points » où, en l'espace d'une minute environ, le cavalier doit franchir les obstacles qu'il souhaite, chaque élément lui rapportant un certain nombre de points en fonction de sa difficulté.

1 2

3 [1-2-3 et page de droite]
Ce sont des années de
dressage et de complicité
entre le cheval et le cavalier
qui permettent de réaliser
de grandes performances.

[1-2] La Française Alexandra Ledermann aux jeux Olympiques d'Atlanta en 1996.

[3] Le saut d'obstacles est une discipline olympique depuis 1912.
[4] De gauche à droite : aux jeux Olympiques d'Atlanta, le Suisse Willi Melker reçoit la médaille d'argent, l'Allemand Ulrich Kirchhoff la médaille d'or, et la Française Alexandra Lederman la médaille de bronze.
[5] La joie de l'Allemand Ulrich Kirchhoff.

[1-2-3] Le stress du cavalier ne doit pas être ressenti par le cheval, déjà perturbé par le bruit de la foule ou le déplacement d'objets ou de personnes.

[4-5] Des millions de spectateurs suivent les compétitions équestres des jeux Olympiques, celles des sauts d'obstacles étant les plus suivies.

[1 à 5] Monté sur Airborne, cheval né en Floride dans l'élevage de Montecillo, ce cavalier dévale la pente de la course Silk Cut en Angleterre.

[6 à 10] Pour ne pas tomber et ne pas entraîner son cheval dans la chute, le cavalier doit se tenir à la verticale lorsqu'il passe la pente abrupte du derby de la Silk Cut.

[1-2] Chaque année, une Coupe du monde de saut d'obstacles a lieu, ici le passage des deux barres.
[3] Might Blue a été élu en 1996 le cheval de l'année, et il est ici monté par Robert Smith.

[4-5-6] Le passage du mur est très redouté des cavaliers. Chaque brique tombée entraîne un point de pénalisation.

La race trakehner est connue
comme étant la plus ancienne
race de chevaux de selle
d'Allemagne.

Pour être performant en saut d'obstacles, le cheval doit avant tout avoir une morphologie adaptée, un dos court, droit et musclé, des jarrets solides, une croupe puissante et un passage de sangle profond. Il doit être de nature calme. Aussi, au pur-sang anglais ou à l'anglo-arabe, un peu nerveux, on préfère en général le selle et le trotteur français, le trakehner et le holstein allemands.

Le hunter irlandais reste toutefois le cheval roi de cette discipline. Élevé principalement en Irlande et en Angleterre, destiné à l'origine à la chasse à courre, il démontre une puissance et un courage tout simplement incomparables. Les poneys font des merveilles en saut d'obstacles, grâce à une arrière-main vigoureuse qui leur permet de franchir une barre sans élan. Des concours divisés en quatre catégories leur sont réservés : les poneys de catégorie A sont les shetlands, les plus petits, ceux qui courent en catégorie D, et peuvent atteindre 1,47 m. Le welsh, le haflinger, le new-forest et le connemara comptent parmi les meilleurs sauteurs.

Bien entendu, les qualités naturelles ne font pas tout : un dressage rigoureux s'impose, qui aidera le cheval à développer son équilibre, sa puissance et sa vitesse. Les exercices sur le plat sont destinés à l'entraîner à marcher droit à la fois sur des lignes droites et courbes et à lui apprendre à obéir instantanément aux demandes du cavalier. De longs galops lui permettent de développer ses muscles et d'améliorer son souffle, tandis que l'entraînement sur des obstacles lui apprend à bien décomposer ses mouvements, à parfaire ses foulées d'appel et sa réception. Les chevaux

Les secrets de l'excellence

d'obstacles présentés aux jeux Olympiques et aux Championnats du monde doivent être âgés de neuf ans au moins. Les autres CSIO (concours de sauts internationaux officiels) acceptent des chevaux âgés de six ans au minimum.

[1-2-3] Ces holsteins courent librement dans les prés avant peut-être de devenir des stars dans les grandes compétitions.

185

[1-2] Le Tyrol, en Autriche, est une région d'élevage des haflingers.

[3-4-5] Les haflingers ont une petite tête racée, des yeux foncés qui témoignent de leur descendance arabe. Leurs allures larges et aisées sont également caractéristiques de cette race, de même que leur gentillesse et leur résistance.

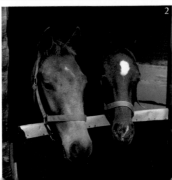

[1-2 et page de droite]
Les poneys new forest
aiment les landes couvertes
de bruyères où le vent souffle
souvent très fort, ce qui évite
aux chevaux d'être importunés
par les mouches et autres
insectes volants.

[1] Une jument anglo-arabe et son poulain au pré.
[2] Deux jeunes poulains anglo-arabes d'un an.

[3] Un étalon akhal-téké à la robe buckskin.
[4] Le poulain welsh a une robe plus claire que celle de sa mère.

191

2 [1-2] La bombe noire, la veste sombre et le pantalon clair sont la tenue réglementaire des cavaliers en compétition.

[3-4-5] Le passage de la rivière à Badminton est le moment le plus spectaculaire de la course.

Les grandes épreuves
équestres sont aujourd'hui
largement sponsorisées.

l trouve son origine dans les anciennes compétitions militaires, destinées à tester l'endurance des chevaux en vue de déplacements des troupes de cavalerie. Jusqu'en 1902, il s'agissait de raids, dont les parcours variaient entre 30 et 700 kilomètres. Puis l'armée française décida d'organiser un concours plus complet comportant une épreuve de dressage, un parcours sur routes et chemins de 48 kilomètres, un steeple-chase et une épreuve de saut d'obstacles.

Ouvert depuis la Seconde Guerre mondiale aux civils, le concours n'a guère changé dans sa forme aujourd'hui. En fonction de la catégorie du cheval et du cavalier, il se déroule sur un, deux ou trois jours. Au niveau international, il débute par le dressage, enchaînement de figures imposées où le couple cavalier-monture doit faire preuve de souplesse et d'élégance. Il se poursuit par l'épreuve de fond, le cross, sans doute la plus spectaculaire et la plus difficile du concours. Le parcours de 4 à 7 kilomètres, où alternent gués, collines, sous-bois et terrains plats, est jonché d'une trentaine d'obstacles redoutables, fixes, artificiels ou naturels : talus surmontés ou non de haies, fossés parfois larges de 4 mètres, « pianos » constitués d'une série de larges marches en dénivelé réclamant un enchaînement de sauts, mangeoires couvertes d'un auvent entre lesquels il faut passer, murs, etc. Bien entendu, les chutes et les refus entraînent des pénalités, de même que le dépassement du temps limite. La troisième désobéissance sur le même obstacle ou la troisième chute sont éliminatoires. En général, plus d'un tiers des concur-

Le concours complet

rents sont éliminés ou abandonnent à ce stade de la compétition. Les autres doivent présenter l'ultime épreuve, le saut d'obstacles, afin de montrer que les chevaux ont conservé vigueur et souplesse.

[1-2-3] À Badminton, de nombreux franchissements de points d'eau situés juste après un obstacle sont particulièrement redoutés des cavaliers.

4 5

6

[4 à 7] Le passage de troncs disposés sur une pente demande au cheval de prendre un très grand élan pour franchir ce long obstacle.

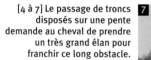

7

[1-2-3] Pour franchir tous les obstacles, les cavaliers demandent à leur monture d'effectuer des sauts très spectaculaires.

[4] À Badminton, les spectateurs se rassemblent aux obstacles les plus hauts ; ils en profitent pour photographier les chevaux qui semblent alors voler.

[1] Cet obstacle est très difficile à franchir pour les chevaux, qui ont du mal à évaluer la distance pour le passer.
[2] Tous les obstacles passés, c'est la dernière ligne droite.

[3-4] Les courses de Burghley sont aussi très spectaculaires ; elles sont organisées dans le parc du château qui appartenait à lord Burghley, trésorier de la reine Elisabeth Ire.

202

[1 à 6] Les obstacles de Burghley sont très originaux ; la plupart sont faits d'ifs taillés ou de paille. Leur aspect très rustique augmente la difficulté de ce parcours qui comporte treize difficultés.

[1-2] À Burghley, le terrain est vallonné, ce qui augmente la difficulté de l'épreuve.

[3-4-5] Les vainqueurs de l'épreuve de Burghley se voient offrir en plus d'une somme importante une Land Rover, marque qui organise cette compétition.

Badminton, Burghley, autant
de lieux prestigieux qui
font de l'Angleterre la
patrie du jumping.

Qu'il s'agisse du concours complet par équipes ou en individuel, les Anglo-Saxons dominent sans conteste la discipline. Aux jeux Olympiques, les cavaliers anglais et néo-zélandais s'arrachent les médailles d'or depuis plusieurs décennies, talonnés par les Américains et les Australiens.

L'illustre Mark Todd, de Nouvelle-Zélande, a été deux fois médaillé d'or (1984 et 1988), et a obtenu la médaille de bronze en 2000. En 1996, son compatriote Blyth Tait, monté sur Ready Teddy, a raflé l'or après avoir remporté la médaille de bronze en 1992. En 2004, aux jeux d'Athènes, deux Britanniques, Leslie Law et Philippa Funnell, montaient sur le podium aux côtés d'une Américaine, Kimberley Severson... En CCE (concours complet d'équitation) par équipes, l'Allemagne a parfois pu créer la surprise, comme la France, médaillée d'or aux jeux d'Athènes. Mais ce ne sont là que des exceptions qui confirment la règle... Sans doute les montures des grands champions anglo-saxons font-elles la différence. À la fois rapides,

endurantes et courageuses, elles possèdent toutes les qualités requises pour affronter la redoutable épreuve de fond.

En dehors des jeux Olympiques, les plus grands cavaliers du complet se retrouvent lors des CCI**** (les concours quatre étoiles, du plus haut niveau). On en compte quatre dans le monde, qui se déroulent aux États-Unis à Lexington (concours du Rolex Kentucky), en Australie à Adélaïde, et en Grande-Bretagne, où les épreuves de Badminton et de Burghley sont les plus difficiles et les plus spectaculaires. Ici encore, les

Sur la plus haute marche du podium

Anglo-Saxons ont prouvé à maintes reprises leur excellence. Étonnamment, mis à part les Américains en jumping, les Allemands et les Hollandais, et dans une moindre mesure les Français, ont connu de belles victoires.

208

[1-2-3] Peu de cavaliers autres que des Britanniques arrivent
à s'imposer dans les grandes épreuves anglaises comme celles
de Badminton et de Burghley. Les Allemands ont quelquefois
créé la surprise, mais ils montaient des chevaux anglais.

3 [1-2-3] Cette barrière très haute surmontée de feuillage est très difficile pour les chevaux, qui ne voient pas ce qui les attend après l'obstacle.

[4-5] Les cavaliers profitent des rares endroits plats pour améliorer leur temps.

2 [1-2] Quelques cavaliers non anglais arrivent à se faire une petite place dans les épreuves de Badminton, mais ce sont tous des Anglo-Saxons, comme les Néo-Zélandais ou les Australiens.

[3-4-5] Les chevaux d'obstacles doivent être rapides, endurants et surtout peu craintifs. Il faut qu'ils aient une confiance absolue en leur maître et vice versa.

213

[1 à 5] Les cavaliers ayant gagné les célèbres épreuves de Badminton deviennent vite des célébrités. Souvent, après leur victoire, ils sont reçus par la reine, grande amatrice de course de chevaux.

[1-2] Tous les chevaux ont leurs membres protégés par des coussinets en mousse.

[3-4] Il faut beaucoup de force au cheval pour après un saut ; galoper dans l'eau souvent boueuse.

2 [1 à 4] L'hégémonie anglo-saxonne est aussi féminine. Dans les épreuves de dressage, les cavalières sont très nombreuses.

[1-2] Les tenues élégantes des cavalières sont en harmonie avec les allures des chevaux.

Chevaux d'obstacles

[3 à 6] Dans les épreuves de dressage, l'esthétique du cheval est aussi importante que les gestes techniques.

221

Chevaux
d'extérieur

Les randonnées à cheval
évoquent aux promeneurs
l'activité des cow-boys.

P artie intégrante du tourisme « vert », les promenades et les randonnées équestres attirent depuis les années 1960 un nombre croissant d'adeptes. Nul besoin d'être un cavalier chevronné pour profiter des joies d'une courte balade en montagne, à la campagne ou en bord de mer. Quelques leçons suffisent, et c'est l'une des raisons de l'engouement pour cette activité.

Avec un peu d'expérience, il est possible de prendre part à des randonnées s'étalant sur plusieurs jours, voire sur plusieurs semaines, guidées par un professionnel qui se charge de d'établir l'itinéraire et de régler tous les problèmes matériels. Pour les partisans de l'aventure, la présence d'animaux de bât portant les tentes et la nourriture est tout indiquée puisqu'elle permet de rester en pleine nature, à distance des villages. Ces randonnées de longue durée exigent une bonne condition physique de la part du cavalier et de sa monture, les distances parcourues pouvant atteindre une trentaine de kilomètres par jour.

En général, elles s'effectuent par groupes de niveau. Les débutants avanceront au pas sur des doubles-poneys solides et calmes, les autres, au trot et au galop, sur des pur-sang. En France, la plupart des centres de randonnée sont groupés dans les régions montagneuses et dans le Sud-Ouest. En Grande-Bretagne, terre d'élection du tourisme équestre, de nombreux bivouacs s'organisent dans les grands espaces d'Irlande, du pays de Galles et d'Écosse. Et, bien entendu, rien n'interdit de quitter l'Europe pour s'aventurer en Mongolie, dans les Rocheuses

Randonnée équestre

canadiennes, dans l'Atlas marocain ou, pour les plus téméraires, de traverser les continents, à l'instar de quelques célèbres randonneurs au long cours : les sœurs Coquet par exemple, qui ont rallié Jérusalem depuis Paris dans les années 1970, et Stéphane Bigo qui, à la même époque, a gagné l'Afghanistan depuis la Turquie.

[Page de gauche et ci-dessous] Loin du mythe des films de Hollywood avec John Wayne, le travail du cow-boy est un métier difficile et fatigant. Aujourd'hui ce sont souvent des émigrés mexicains qui arpentent les plaines de l'Ouest pour surveiller les troupeaux.

[1-2] Seuls les chevaux permettent de parcourir les grandes étendues de pâturage de l'Ouest américain.

[3] La randonnée à cheval est une activité sportive en pleine expansion.
[4] Les épreuves d'endurance soumettent les cavaliers et les chevaux à rude épreuve.
[5] Le trotteur américain provient du croisement d'un pur-sang importé en Amérique en 1788, Messenger, avec des juments américaines diverses, sélectionnées pour le trot et l'amble.

[1-2] Le cheval aime beaucoup l'eau, trotter et galoper sur les plages. De nombreuses promenades à cheval sont organisées à Deauville.

Chevaux d'extérieur

[3 à 6] Les parcours des épreuves d'endurance passent sur les chemins forestiers mais aussi le long des ruisseaux.

[1-2-3]Le randonnée à cheval permet aux cavaliers non expérimentés de profiter des joies de l'équitation.

4 **5**

6

[4-5-6] Avec des chevaux calmes et bien dressés, toute la famille peut effectuer des randonnées à cheval en parcourant des lieux souvent inaccessibles en voiture ou à pied.

[1-2] En dehors des compétitions, la ville de Saint-Moritz, en Suisse, propose des balades familiales à cheval au milieu des paysages enneigés.

[3] Malgré son ascendance, ce pur-sang arabe adore trotter dans la neige. Au plaisir s'ajoute un renforcement des muscles des membres des chevaux grâce à l'effort fait pour courir dans la poudreuse.

La chasse à courre connut des jours plus heureux qu'en ce début de XXIᵉ siècle. L'Allemagne, la Belgique et l'Écosse l'ont interdite, et son abolition est pratiquement acquise en Irlande et en Angleterre, malgré les protestations de passionnés, qui en appellent déjà à la « désobéissance civile »...

De tradition ancestrale dans les pays anglo-saxons, la vénerie s'apparente à un véritable sport équestre : les cavaliers suivent à vue la meute des chiens, ce qui leur demande de galoper à vive allure et de franchir quantité d'obstacles naturels, barrières ou fossés, parfois redoutables. En France en revanche, la chasse à courre, qui consiste à déjouer les ruses du gibier, tient davantage de l'art que de la course-poursuite. On compte ici sur le flair et l'intelligence des chiens pour contrer les feintes de la bête traquée. Seule la grande vénerie se pratique à cheval. On chasse ainsi le sanglier, le cerf et le chevreuil. La journée du veneur commence tôt le matin : le valet de limier, accompagné de son chien, part « faire le bois » pour repérer les animaux. Il en fait le rapport en fin de matinée au maître et aux membres de l'équipage. En fonction de l'animal à chasser, une meute spécialisée est déployée, chargée de poursuivre la bête jusqu'à ce qu'elle soit épuisée et se laisse prendre. En fait, l'animal disposant de grands moyens de défense, il a en moyenne quatre chances sur cinq de l'emporter. C'est surtout vrai pour le chevreuil qui, subtil et à l'odeur légère, n'a pas son pareil pour tromper et semer les chiens.

Le cheval de chasse doit présenter de nombreuses qualités, la première étant certainement l'équilibre : on attend de lui qu'il passe sans encombre dans des chemins forestiers parfois défoncés, semés d'ornières et cachant des embûches sur

La chasse à courre

lesquelles il lui faut éviter de chuter. La monture doit être résistante, infatigable et très calme pour qu'elle ne s'effraie ni des chiens ni des trompes. Le cheval de selle français, qui concentre toutes ces qualités, est aujourd'hui le plus utilisé pour la chasse à courre. L'anglo-arabe, un bon cheval d'extérieur, convient également, même s'il manque un peu de robustesse.

[1-2-3] L'Angleterre est, sans aucun doute, le pays de la chasse à courre. Sa récente interdiction a entraîné de nombreux débats entre les défenseurs des animaux et ceux des traditions.

[Page de droite] La complicité entre la meute des chiens et les chevaux est essentielle lors d'une chasse à courre.

[1-2-3] En Angleterre, c'est surtout le renard qui est chassé. La chasse terminée, le *landlord* remet une coupe aux participants.

[4] Pour les Britanniques, la chasse à courre est aussi un moyen de se rencontrer autour d'une même passion, le cheval.

[Page de gauche et 1 à 4]
Ce sont les chiens qui traquent l'animal. La meute, structurée autour d'un chef, localise le renard ou le cerf. Un cavalier et son cheval suivent la meute composée d'une vingtaine de chiens.

243

Chevaux
de jeux

Celui que l'on nomme « le sport des rois et le roi des sports » compte parmi les jeux les plus anciens, des peintures attestant qu'il était pratiqué en Perse voici plus de deux mille ans. Répandu également dans la Chine ancienne et au Japon, où l'on considérait sa pratique comme un entraînement efficace à la guerre, il gagna l'Inde, et c'est là, dans la petite province de Manipur située au nord-est du pays, que les colons britanniques le découvrirent.

Les officiers anglais fondèrent le premier club de polo européen en 1859 et lui donnèrent les règles qui sont encore les siennes aujourd'hui. Importé en Angleterre dès cette époque, il conquit dans les années 1870 les États-Unis et l'Argentine qui, grâce à ses cavaliers hors pair et à ses fameux poneys criollos, domine ce sport depuis plusieurs décennies.

Une rencontre oppose deux équipes de quatre joueurs sur un terrain d'environ 250 mètres de long sur 140 mètres de large. Le jeu consiste à marquer un maximum de points en envoyant une balle en saule dans les buts adverses à l'aide d'un maillet en bambou. Les règles du polo visent avant tout à garantir la sécurité des cavaliers et des chevaux : pour éviter tout risque de collision, il est interdit de couper le droit de passage d'un joueur, de bousculer un adversaire, de le prendre en sandwich ou encore de frapper la balle devant les antérieurs d'une monture adverse. Une partie se divise en huit, six ou cinq reprises (les *chukkas*) de sept minutes et demie chacune. Disputé au galop, rapide et mouvementé, ce sport est très fatigant pour les montures ; aussi, lors des rencontres internationales, les joueurs en changent-ils à

Le « sport des rois »

chaque période. Outre une grande résistance, il faut au cheval de polo des jarrets solides et de bons aplombs ; il doit aussi pouvoir changer promptement de rythme et de direction. Le criollo argentin, issu du croisement avec des pur-sang anglais, vif et confiant, rassemble toutes ces qualités.

[1-2] Lancé à pleine vitesse, le cheval de polo doit pouvoir s'arrêter net si son cavalier l'exige.

3

4

5

[3-4-5] Le polo est un sport où deux groupes de quatre cavaliers s'affrontent. La partie se déroule en cinq, six ou huit périodes de sept minutes et demie chacune.

3 [1-2-3] Les poneys argentins sont les meilleurs chevaux pour pratiquer le polo.

[4] La pratique du polo exige une parfaite maîtrise de son cheval ainsi qu'une grande précision pour frapper la balle.
[5] Le casque de polo a une forme particulière issue des anciens casques coloniaux.
[6] Afin d'éviter les blessures, les membres des chevaux sont protégés par des bandelettes protectrices. La queue est aussi attachée et protégée.

1 **2**

3

[1-2-3] Le polo est le plus ancien sport d'équipe au monde. Les premières traces de ce sport équestre passionnant remontent à quelque 2 500 ans en Perse. Plus tard, il s'étendit jusqu'en Inde, où les Anglais s'initièrent à ce sport.

[4-5-6] Au polo, chaque joueur a une place et une fonction bien spécifiques. Le numéro 1 est l'attaquant. Il doit marquer un maximum de buts. Le numéro 2 l'assiste mais joue également sur le plan défensif. Le joueur le plus important porte en général le numéro 3. Il dispose de la meilleure frappe, remet la balle en jeu à partir de la ligne de fond et assure également les penalties. Le numéro 4 est un défenseur. Il a pour tâche de contrer le joueur de l'équipe adverse et de pousser de longues balles.

3 [1-3] Les brusques virées des chevaux sont très spectaculaires, le cavalier pouvant alors être debout sur son cheval.
[2] Chaque cavalier possède sa propre batterie de maillets.

4 5

[4-5-6] Comme le football, le polo a ses penalties. Le polo compte quatre sortes de penalties. Les penalties les plus lourds sont sanctionnés par des penalties à goal ouvert : les adversaires doivent prendre place derrière le but. Les fautes les moins graves sont sanctionnées par des penalties à goal gardé : dans ce cas, les adversaires peuvent s'interposer entre la balle et le goal.

6

255

2 [1-2-4] Le polo requiert des montures une préparation physique journalière, ou, à défaut, quatre fois par semaine.

[3] Après le match les chevaux comme les hommes vont à la douche.
[5] L'entretien des fers des chevaux est essentiel pour les déplacements rapides et brusques du polo.

[1-2-3] Les grandes équipes de polo se déplacent avec d'énormes semi-remorques qui transportent les chevaux mais aussi leur nourriture. Les chevaux, les cavaliers et tout le personnel chargé de s'occuper des chevaux forment une équipe imposante.

[1-2] Poneys de polo dans la pampa argentine.

1

2

3

[3] Au pré, les chevaux se reposent après un match de polo.

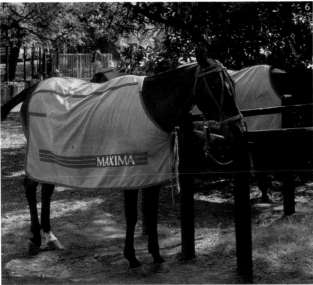

[4-5-6] Avant de participer au match, les poneys argentins sont revêtus d'une couverture portant le nom de leur propriétaire.

MAXIMA

261

Le polo est aujourd'hui dominé
par des pays comme
l'Argentine, le Brésil,
le Sri Lanka et l'Inde.

Créés pour donner une chance égale à chaque équipe de polo, des handicaps allant de − 2 à 10 sont attribués aux joueurs. Le handicap de l'équipe s'obtient par addition des handicaps individuels. Dans une rencontre, l'équipe la moins forte bénéficie à l'avance d'un nombre de buts égal à la différence des handicaps. Deux prix internationaux sanctionnent les meilleurs joueurs.

Il s'agit de la Coronation Cup et de la Coupe du monde, qui attire tous les trois ans depuis sa création en 1987 des milliers de spectateurs venus admirer la virtuosité des cavaliers et de leurs montures. L'Argentine et le Brésil, qui ont remporté le titre trois fois chacun, dominent pour le moment le palmarès.

Le polo classique réclamant de grands espaces et d'importants moyens financiers, des jeux dérivés du polo ont été inventés pour le rendre plus accessible. En principe, les règles sont identiques, mais la distance à couvrir est moindre, et le nombre de joueurs réduit également. Ainsi, le paddock-polo se joue-t-il sur un terrain d'environ 100 mètres sur 50, par équipes de trois. Le maillet reste en bambou, mais la balle est en cuir ou en caoutchouc. L'indoor-polo suit les mêmes règles, mais se déroule en salle. L'Australie a développé le polo-cross qui utilise non pas des maillets mais des raquettes à long manche, analogues à celles du squash. Quant aux enfants, ils peuvent participer aux tournois de junior-polo, sur des terrains plus petits encore, dont les dimensions varient en fonction des poneys utilisés : ils mesurent 40 mètres sur 20

Compétitions de polo

pour les joueurs de catégorie A, qui montent des shetlands, 60 mètres sur 20 pour ceux de la catégorie B, la catégorie C évoluant sur des terrains de paddock-polo. En 1995, Megève a lancé les Internationaux de polo sur neige. Montés sur des poneys bien cramponnés, les enfants peuvent depuis peu s'essayer à ce sport aussi grisant qu'excentrique...

2 [1-2] Le parc de Windsor, en Angleterre, accueille chaque année la grande compétition de polo où est décernée la très convoitée Queen's Cup.

[3-4] Même en Angleterre, les équipes nationales sont souvent battues par des équipes sud-américaines.

[1-2-3] En Argentine, les matchs de polo attirent des milliers de spectateurs. C'est, après le football, le sport favori des Argentins.

[4-5] Les meilleurs joueurs de polo sont sans aucun doute argentins. Depuis sa victoire aux jeux Olympiques de 1936, l'Argentine aligne toujours les meilleures équipes du monde.

267

[1-2-5] Le polo s'expatrie dans le monde entier, comme ici en Suisse, à Saint-Moritz où est décernée la Coupe du monde Cartier.
[3-4] L'Afrique du Sud devient une nation importante pour le polo.

[6-7-8] Dans le Sussex, en Angleterre, le Cowdray Park accueille un immense terrain de golf mais aussi un terrain de polo, célèbre pour ses compétitions.

[1] Le polo a sa coupe des nations européennes, dominée par l'Angleterre et la Hollande.
[2] Le prince Charles d'Angleterre est un grand amateur de polo. Une compétition porte son nom.
[3] Le prince Philippe a lui aussi donné son nom à un trophée.

[4-5-6] Les cavaliers, au polo, disposent d'un équipement très particulier. Leur casque est muni d'une grille de protection, ils ont des genouillères renforcées, des gants, des bottes de cuir à fermeture à glissière. Ils sont équipés d'un maillet avec manche en bambou. La balle est en plastique.

Les paysans scandinaves
devaient, pour travailler,
pratiquer le skijoring.

D u jeu du bouquet au horse-ball, en passant par le pato argentin, toute une pléiade de jeux équestres permet de mesurer son équilibre à cheval, son adresse et sa rapidité. Très en vogue actuellement, le horse-ball oppose deux équipes de quatre joueurs qui doivent ramasser à terre une balle de cuir munie de six poignées et, par un jeu de passes, l'envoyer dans le panier adverse, situé à 3 mètres du sol.

Une sangle passant sous le ventre de la monture et reliant les deux étriers autorise les cavaliers à se pencher jusqu'au sol. Ce jeu intense et très sportif, qui se déroule en deux périodes de dix minutes chacune, fut inventé en France vers 1970. Il serait inspiré du pato argentin, où deux cavaliers tentaient de s'arracher un sac en cuir contenant un canard (*pato* en espagnol) jusqu'à ce que l'un d'eux cède. L'équipe du gagnant partait au galop, poursuivie par ses adversaires qui cherchaient à récupérer le butin. Interdit en 1882 pour des raisons de sécurité, il réapparut dans les années 1930 sous une forme nouvelle, très proche du horse-ball.

Les gardians camarguais se livrent depuis des générations à des jeux locaux : citons le jeu du bouquet, de tradition courtoise, où les cavaliers se disputent un bouquet qu'ils offriront à leur dame, celui de l'orange, qui consiste à attraper, sur un cheval lancé au galop, une orange tendue par une Arlésienne, ou encore le jeu des rubans, où les gardians tentent d'arracher les brassards de leurs concurrents tout en s'efforçant de conserver le leur.

Issu des joutes moyenâgeuses, le jeu des aiguillettes est répandu en France (il s'agit ici d'at-

Autres jeux

traper des anneaux suspendus à des potences à l'aide d'une lance), tandis que le push-ball (où les poneys doivent pousser un énorme ballon vers les buts adverses) est davantage prisé dans les pays anglo-saxons. Citons encore les gymkhanas, effectués en relais ou non, qui exigent de zigzaguer le plus rapidement possible entre des perches ou des barils souvent très rapprochés.

[1-2-3] Activité traditionnelle des cow-boys pour trier leur bétail et le marquer au fer rouge, celle-ci est devenue un spectacle appelé le « team penning ».

[4-5-6] Le « team penning » se pratique dans un enclos rempli de petits veaux qu'il faut attraper au lasso dans un temps chronométré.

275

[1-2] Les compétitions de « team-penning » font l'objet de nombreux spectacles dans tous les États-Unis, mais aussi en Europe et notamment en Camargue.

3

[3-4] Le « cattle penning » est similaire au « team penning », excepté qu'un seul cavalier est nécessaire et travaille une seule tête de bétail. Le cavalier doit trier un troupeau et mettre en enclos une bête identifiée par un collier numéroté ou coloré.

4

277

[1-2-3] Le « barrel racing » est une sorte de course de vitesse autour de bidons. Le couple cheval-cavalier doit effectuer le plus rapidement possible un slalom autour de trois tonneaux disposés en triangle.

[4-5-6] Le cavalier peut débuter le parcours selon son choix par le tonneau à main gauche ou par celui à main droite. Il a le droit de toucher les tonneaux de ses mains, mais en prenant bien garde de ne pas les faire tomber. Virages serrés et galop effréné, les chevaux doivent faire preuve d'une grande agilité et être capables d'effectuer des accélérations rapides.

[1-2-3] Le skijoring, ici à Saint-Moritz, a bien failli devenir une discipline olympique, qui a été présentée lors des Jeux de 1928.

4

[4-5-6] Lancés à pleine vitesse dans la neige, le skieur et son cheval peuvent atteindre plus de 60 km/h.

5

6

281

3 [1-2-3] Le « horse-ball » est le dernier-né des sports équestres ; il se pratique avec un ballon entouré de poignées de cuir pour s'en saisir. Le jeu se pratique avec deux équipes de six joueurs, chacune essayant de marquer en lançant la balle dans un panier comme au basket.

[4-5] Dans cette discipline, la taille des chevaux est importante, surtout lorsqu'il s'agit de récupérer le ballon en plein vol ou de se hisser pour marquer un panier.

Les poneys shetlands sont
parfaits pour les sports
équestres pour enfants.

Joignant l'utile à l'agréable, les *pony games* sont pour les enfants l'occasion de se détendre tout en assimilant les bases de l'équitation. À l'image des exercices de manège, ils permettent de contrôler la vitesse, d'acquérir une bonne tenue sur selle, davantage d'aisance et d'agilité. Mais, dans les jeux, la technicité, loin d'être un but en soi, n'est qu'un moyen pour devenir plus performant.

C'est le plaisir pris et l'envie de gagner qui priment et qui conduisent les enfants à résoudre par eux-mêmes les problèmes techniques qu'ils rencontrent. Créés en Angleterre dans les années 1950, apparus en France quarante ans plus tard, les *pony games* connaissent un succès retentissant. On en dénombre aujourd'hui une trentaine dans les centres équestres français. Il s'agit de jeux d'équipe menés sous forme de relais : ainsi le slalom, le jeu des deux tasses (où il faut collecter une première tasse sur un piquet, la poser sur le suivant, puis déplacer la seconde tasse de la même manière), ceux des cinq drapeaux, des bouteilles et du carton. Au jeu de la corde, le premier cavalier sur la ligne de départ doit slalomer, une corde en main, vers la ligne de fond où l'attend le second cavalier. Celui-ci doit attraper l'une des extrémités de la corde, puis les deux enfants reviennent en slalomant vers la ligne de départ. Les parcours en slalom, assez fréquents, favorisent l'apprentissage des changements de direction. Au jeu de la joute, un premier cavalier doit abattre une cible à l'aide d'une lance puis transmettre cette même lance au cavalier suivant qui à son tour abat une cible, et ainsi de suite. D'autres jeux ne se déroulent que partielle-

Pony games

ment à cheval. Ainsi la course en sac ou encore le jeu « à pied, à cheval » qui exige d'effectuer la moitié du parcours monté et l'autre, à pied.

Les participants aux *pony games* jouent par catégorie d'âge, en moustiques pour les plus jeunes, en minimes ou en cadets pour les adolescents. Une catégorie seniors est réservée aux adultes.

[1-2-3] En Angleterre, l'Olympia Shetland Grand National voit s'affronter des adolescents de 9 à 12 ans dans une course d'obstacles particulièrement difficile.

[4-5] Bien que conduite par des enfants, cette course fait l'objet de paris importants auprès des bookmakers. Malgré tout, beaucoup de ces compétitions sont données au profit d'œuvres de charité.

1 **2**

3

[1-3] Les « mounted games » littéralement « jeux montés », s'effectuent généralement en extérieur.

[2] L'épreuve de la tasse consiste à se saisir d'une tasse posée sur un piquet et à la déposer sans la casser sur le suivant, tout cela se faisant dans un temps chronométré.

[4 à 7] Beaucoup d'autres exercices d'adresse sont au programme des journées organisées au show du parc de Windsor, en Angleterre.

289

[1-2] Le jeu des tasses est quelquefois présenté, pour une plus grande difficulté, sur des piquets très fins.

[3] Parmi les jeux d'adresse, celui avec des balles qu'il faut placer dans des paniers est particulièrement difficile.

4 5

[4-5] Bien qu'elles soient très basses, le passage des haies au Shetland Grand National nécessite une grande connaissance de l'équitation pour ces jeunes cavaliers.
[6] Parmi les jeux montés organisés au parc de Windsor, on trouve le slalom, la balle, le cône, les cinq drapeaux, le carton, la corde, les deux drapeaux, les tasses et le facteur.

291

Chevaux
d'exhibition

I l n'est sans doute pas exagéré d'affirmer que sans le cheval, le cirque n'existerait pas. La grande aventure du « théâtre équestre », comme on l'appelait à l'origine, commença en effet sous l'impulsion de Philip Ashley, officier de l'armée anglaise et brillant écuyer, qui monta en 1768 un spectacle équestre.

D'abord composé de numéros de voltige, d'exercices de haute école et de pantomimes à cheval (les hippodrames), il fut enrichi pendant les intermèdes de clowns, de funambules et de jongleurs, Ashley étant soucieux de ne pas ennuyer son public. Mais le cheval restait l'âme du spectacle, et il le resta dans tous les cirques jusqu'à la fin du XIXe siècle, époque à laquelle le fauve commença à lui voler la vedette. Relégué au second plan, le cheval ne disparut cependant pas des pistes et la famille Gruss, avec ses voltigeurs, ses acrobates et ses jongleurs équestres, le prouve depuis cinq générations. Les numéros de chevaux en liberté que la compagnie propose offrent de rares moments d'émotion : sans contrainte physique, réagissant seulement à la musique, à la voix et aux gestes du dresseur, les chevaux exécutent de savantes chorégraphies, évoluant à reculons, debout ou se croisant au rythme d'une valse dans une parfaite harmonie.

La voltige est devenue une discipline à part entière et donne aujourd'hui lieu à des compétitions officielles. L'animal est alors équipé d'un surfaix maintenant un tapis sur lequel le voltigeur effectue des figures spectaculaires, requérant autant d'équilibre que de qualités gymniques. Les six figures imposées en compétition sont la position « assis à cheval, bras en croix », l'étendard (le

Théâtre équestre

cavalier, à genoux, lève une jambe en extension et le bras opposé pendant quatre foulées), le moulin (il s'assoit en amazone à gauche puis à droite, jambe tendue et levée jusqu'au visage), l'amazone, la position debout et les ciseaux. Le programme libre, qui suit le programme imposé, comporte souvent des « poses » et des sauts périlleux à couper le souffle...

[1-2] Au cirque, les numéros de dressage de chevaux sont l'apanage de grandes familles, comme en France la famille Gruss.

3

[3-4] Il est d'usage, au cirque, de donner les ordres aux chevaux en allemand. Le très grand fouet sert uniquement à lancer les mouvements des chevaux, jamais à les frapper.

4

[1-2] Au centre de la piste, le dresseur fait tourner les chevaux autour de la piste, tout près des spectateurs.

[3] Quelques femmes font partie des grands dresseurs de chevaux.
[4] Debout sur plusieurs chevaux, le cavalier effectue des sauts tout en faisant galoper ses montures.

[1] Parfaitement dressé, un cheval peut accomplir des gestes très étonnants comme s'agenouiller.
[2] Au son de la musique, trois chevaux dansent.

[3-4] À l'appel du fouet tourbillonnant, les chevaux se dressent sur leurs pattes arrière et restent ainsi jusqu'à ce que le dresseur en donne l'ordre.

301

Bozkashi, tauromachie, poste hongroise, fantasia, rodéo, etc. : aux quatre coins du monde, des cavaliers avertis se livrent à des démonstrations équestres souvent dangereuses, toujours spectaculaires, qui sont pour la plupart dérivées d'anciennes pratiques agraires ou guerrières.

Ainsi, les cavaliers d'Asie centrale s'affrontent depuis plusieurs millénaires dans des combats sans merci, les bozkashis afghans, qui requièrent autant de talent à cheval que de bravoure. Au signal de départ, une cinquantaine de chevaux se pressent sur la dépouille d'une chèvre jetée sur le sol, se cabrant les uns contre les autres jusqu'à ce que l'un des cavaliers parvienne à la ramasser. S'engage alors une course-poursuite folle et sauvage contre le porteur, à qui ses concurrents essaient à force de coups d'arracher la carcasse. Le vainqueur est celui qui, fuyant la mêlée déchaînée, réussit à jeter la chèvre dans un cercle dessiné sur l'aire de jeu.

En Hongrie, c'est la poste, ou Puszta-five, qui a la faveur du public. Elle consiste à conduire cinq ou dix chevaux lancés au galop tout en restant debout sur l'un d'eux. Vu les talents de meneur qu'elle exige, il n'est guère étonnant de voir ses cavaliers figurer au palmarès des compétitions internationales d'attelage.

La tauromachie, qui a acquis ses lettres de noblesse dans la péninsule Ibérique, se pratique différemment en Espagne et au Portugal. Montés par les picadors, les chevaux n'interviennent que pendant la première phase des corridas espagnoles. Au Portugal, où ils sont présents du début à la fin, il s'agit pour les *rejoneadores* d'effectuer une véritable parade équestre, enchaînant avec brio les airs de la haute école, piaffer,

Cultures du cheval

levade, etc., avant d'aller affronter la bête. Seule une soumission absolue à son cavalier, acquise au cours d'un long et rigoureux dressage, permet au cheval de dépasser son appréhension naturelle. Reconnus pour leur courage, les andalous et les lusitaniens portugais, issus du croisement d'andalous et d'arabes, offrent de merveilleuses prestations dans les arènes.

1 2

3

[1-2-3] Cavaliers et cavalières en costume typique font un spectacle de dressage avec des chevaux andalous.
[Page de droite] Ce cheval fait la révérence andalouse.

[1-2-3] En Hongrie, les spectacles de chevaux sont nombreux ; ici, un cavalier monte debout cinq chevaux à la fois.

[3] Cavaliers hongrois en costume traditionnel.

[4-5-6] Ce cavalier en tenue traditionnelle hongroise montre son adresse en faisant s'asseoir, se coucher et s'agenouiller son cheval.

[1-2-3 et page de droite]
Les jeux de rodéo consistent à tenir le plus longtemps possible sur des chevaux sauvages en ne se tenant que d'une seule main.

[1-2-3] Ces femmes acrobates effectuent des exercices de voltige sur un cheval lancé au galop.

[4 à 8] La voltige présente des figures inspirées des rites et des coutumes guerriers des peuples cavaliers.

311

[1] Les chevaux dorment debout. S'ils sont blessés et incapables de rester sur leurs pattes, ils doivent être maintenus par des harnais.
[2] Un cheval dressé joue au football avec son dresseur.

Chevaux
de travail

E n Occident, les chevaux restèrent des auxiliaires de travail indispensables à l'homme jusque dans les années 1900-1950. À la ville comme à la campagne, ils assuraient le transport des personnes et des biens. Aux champs, ils tiraient toutes sortes d'engins agricoles : charrue, herse, faucheuse, moissonneuse, tombereau chargé de fumier, etc.

Ils connurent la vie impitoyable des mines, tractant dans les galeries souterraines des wagonnets remplis de charbon. Les plus chanceux remontaient le soir dans une écurie de village, mais les autres ne quittaient pas le puits et finissaient aveugles. Puis le chemin de fer, l'apparition du moteur à explosion et du tracteur les déchargèrent de ces pénibles tâches, menaçant du même coup leur élevage. Heureusement, quelques éleveurs passionnés montèrent des associations pour empêcher leur disparition. En France, on compte aujourd'hui neuf races de chevaux de trait : l'ardennais, l'auxois, le boulonnais, le breton, le cob normand, le comtois, le percheron, le trait du nord et le trait mulassier poitevin. Le percheron, à la robe gris clair, apprécié à l'étranger en raison de son élégance, fait partie des grands améliorateurs de races lourdes. Il est à l'origine du percheron noir, très recherché au Japon. Outre-Manche, c'est le shire qui a la cote : reconnaissable à ses longs poils sur les membres et à sa taille impressionnante (jusqu'à 1,90 m !), il est capable de tirer une charge de 5 tonnes. Comme le percheron, il remporte un succès phénoménal lors des foires et des expositions. Citons encore, parmi les races lourdes, le franches-montagnes élevé en Suisse, le clydesdale anglais et le frison hollandais, qui

Chevaux de trait

fut des siècles durant le principal cheval de travail en Europe du Nord.

Utilisés de façon marginale dans les activités de débardage, les chevaux de trait sont employés pour l'équitation de loisir, les compétitions d'attelage et les courses de trait-tract, où ils sont attelés à des traîneaux chargés de plusieurs centaines de kilos de fonte.

[1-2] Le labour à la charrue tirée par de magnifiques chevaux de trait retrouve toute sa beauté lors de journées de souvenir des méthodes traditionnelles de la campagne d'autrefois.

3

[3-4] Le freiberger est une nouvelle race de cheval de selle, créée à Avenches, en Suisse, à partir de l'ancien cheval de trait freiberger, appelé aussi franches-montagnes, que l'on utilisait énormément en Suisse pour les travaux agricoles avant la mécanisation.

4

3 [1-2-3] Faire un sillon le plus régulier possible et le plus vite possible est l'enjeu de ces concours de charrues anciennes. Les juges apprécient aussi la tenue des chevaux.

[4-5-6] C'est en tenue d'apparat que ces chevaux de trait refont les travaux que leur ancêtres effectuaient avant l'arrivée des tracteurs.

[1-2-3] En Belgique, les chevaux de trait ont longtemps servi à transporter de lourdes billes de bois. Aujourd'hui, ils participent à des concours où gagnent ceux capables de tirer les plus lourdes charges.

[4-5] Le cheval est encore utilisé pour transporter du bois dans beaucoup de pays de l'Europe de l'Est, notamment en Roumanie.

323

[1] Le cheval de trait belge est capable de tirer une vingtaine de personnes dans un traîneau.
[2] Le percheron tire sans difficulté une luge dans la neige.
[3] Les haflingers sont des petits chevaux très robustes.

4 5

[4-5-6] Il existe plusieurs races de chevaux de trait belges, utilisés pour tirer des luges dans la neige, comme le petit, le moyen ou le grand belge.

6

De la frontière mexicaine aux confins du Canada, le Grand Ouest américain a vu naître un mythe immortalisé par les westerns : celui des cow-boys. Farouches défenseurs des traditions ancestrales, imperméables à la concurrence, pourtant rude, de l'élevage en batterie, les cow-boys d'aujourd'hui vivent essentiellement dans les régions de l'Utah, de l'Arizona, du Montana et du Nouveau-Mexique.

Seule une coutume a disparu, celle d'attraper les chevaux sauvages au lasso pour les dresser ensuite au gardiennage : c'est désormais le propriétaire du ranch qui fournit le cheval au cow-boy. La vie d'un gardien de troupeau dépend étroitement du passage des saisons. Au printemps, plusieurs milliers de bêtes sont rassemblées et menées à l'estive. À l'automne, le troupeau est conduit sur les pâturages d'hiver. À la morte saison, retour au ranch : les cow-boys entretiennent alors les bâtiments, soignent le bétail, marquent les veaux au fer, s'entraînent

Cow-boys

pour le prochain rodéo ou une compétition western. La monture idéale du cow-boy est le quarter horse qui, en période de transhumance, n'a pas son pareil pour faire avancer les bêtes, repérer le veau égaré ou encore empêcher le troupeau de se disperser. Issu des chevaux amenés dans le Nouveau Monde par les conquistadors espagnols au XVIe siècle, il fut créé par croisement avec des pur-sang anglais. Il s'agit d'un cheval volontaire, doté d'un tempérament exceptionnel. Son corps compact et musclé se caractérise par une arrière-main puissante qui lui permet de galoper très vite sur de courtes distances, d'où son nom, « quarter » faisant référence à un quart de mile, soit 400 mètres.

Le gardiennage des troupeaux n'est pas l'apanage des cow-boys américains : les gardians camarguais, les gauchos d'Amérique du Sud ou encore les gardiens magyars connaissent des modes de vie à peu près identiques.

[1] Les femmes commencent à travailler comme gardiennes de troupeau, ce sont les cow-girls.

[2-3] Beaucoup de chevaux utilisés par les cow-boys sont issus des races bicolores ou isabelles employées par les Indiens pour chasser les bisons.

[1-2-3] Bien qu'aujourd'hui, dans les grandes exploitations, les troupeaux de bétail soient surveillés avec des Jeeps, voire des hélicoptères, les propriétaires aiment encore parcourir leurs terres à cheval.

[4] Dans l'Ouest, les chevaux palominos constituent une race à part entière. En Europe, c'est juste une couleur de robe.
[5] Cow-boys se promenant sur un paint et un buckskin.
[6] La race paint est très commune chez les cow-boys.
[7] Les cow-boys à cheval sont toujours accompagnés de leurs chiens.

[1] Le lasso, chez les cow-boys, est l'outil indispensable dans leur travail.

[2] Les veaux, maintenus dans un enclos, sont isolés et capturés au lasso pour être marqués.
[3] Compétition de « team penning ».

[4 à 7] Afin de se souvenir de l'époque glorieuse du Far West où le cheval régnait en maître, toutes les petites villes de l'Ouest américain organisent des compétitions de chevaux avec rodéos, course aux tonneaux, etc.

2 [1-2] La course autour des tonneaux demande de la part des cavaliers beaucoup d'adresse et de précision.

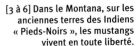

[3 à 6] Dans le Montana, sur les anciennes terres des Indiens « Pieds-Noirs », les mustangs vivent en toute liberté.

335

3

[1-2] Les chevaux sont marqués afin d'identifier leur propriétaire.
[3-4] L'équipement traditionnel des cow-boys est composé de jambières, d'éperons et d'un lasso.

[5] Le lasso est utilisé pour rattraper les animaux égarés, ou qui s'éloignent du troupeau.

Ces cavaliers en tenue
d'apparat font le salut au
drapeau le jour de
l'anniversaire de la reine.

S i l'on ne fait plus la guerre à cheval en Occident depuis 1918, les montures n'ont toutefois pas déserté les régiments, en témoignent les célébrissimes horse-guards anglais ou encore les polices montées canadienne et new-yorkaise. En France, c'est la garde républicaine qui parade lors des cérémonies du 8 Mai, du 11 Novembre et pour la fête du 14 Juillet.

Elle donne de somptueux défilés à cheval et à pied dans les grandes avenues de la capitale. Le régiment de cavalerie dispose de cinq cents chevaux environ, en majorité des selles français de grande taille (1,70 m en moyenne), répartis dans les trois escadrons par couleur de robe : les alezans vont au premier escadron, les bai clair au deuxième et les bai brun au troisième. La fanfare utilise des chevaux alezans, excepté les timbaliers qui montent des chevaux gris. Les cavaliers participent également à des démonstrations équestres, comme la reprise des tandems ou le carrousel des lances, et les meilleurs d'entre eux prennent part aux concours internationaux de dressage, de concours complet et de saut d'obstacles. Tout au long de l'année, en dehors de ses activités militaires et officielles, la cavalerie surveille les domaines forestiers en région parisienne ainsi que les littoraux, notamment en période estivale. Depuis quelques années, le cheval d'armes est redevenu « à la mode » en France, au sein de la police rurale, où il occupe une place de choix. Prisé autrefois pour sa vitesse et sa résistance, il l'est désormais pour la convivialité qu'il dégage et pour sa capacité à préserver l'environnement.

Chevaux d'armes

La police rurale étant entre autres chargée de veiller à la protection des sites naturels et des bois, il était tout naturel qu'elle abandonne (en partie) le fourgon et la moto pour donner l'exemple à la population... C'est l'est de la France qui remit au goût du jour le cheval par la création de brigades vertes au sein du corps des gardes champêtres.

[1] La reine d'Angleterre,
à cheval, inspecte les troupes
lors du salut au drapeau.
[2] Le prince Charles et le prince
Philip pour le salut au drapeau.

[3] La garde royale passe
devant la reine pour le salut
au drapeau.

Chevaux de travail

[4-5-6] La parade de la garde royale, devant le palais de la reine à Londres, est un spectacle très suivi par les touristes mais aussi par les Londoniens.

341

[1] Le palais de Buckingham est gardé par des policiers à cheval.
[2] La cavalerie de la garde royale défile sabre au clair.

[3] La cavalerie anglaise possède ses trompettes. Anciennement, ces cavaliers donnaient le signal de l'attaque.

[4] Les horse-guards assurent la protection de la reine et des bâtiments royaux. Le bâtiment des horse-guards, situé sur Whitehall, à deux pas de la résidence du Premier ministre, est le quartier général de la garde royale, et il joue le rôle d'entrée officielle du palais royal de Buckingham.

[1] Les horse-guards appartiennent aux deux plus anciens régiments de l'armée britannique, les Blues and Royals et les Life Guards.

[2-3] Arrivée de la reine, suivie du prince Charles et du prince Philip, pour l'inspection de ses troupes.

[4] Un officier de la garde avec sa coiffe caractéristique.
[5] La reine, à cheval, inspecte ses troupes.
[6] Les horse-guards constituent un effectif de 350 hommes. Les hommes sélectionnés pour servir dans les horse-guards sont formés pendant quatre mois aux pratiques de l'équitation avant de participer aux parades.

345

[1-2] Chaque unité des Blues and Royals possède un « *drum horse* », le cavalier se servant des deux timbales situées de part et d'autre de la selle.

[3-4] L'escorte royale de la maison royale d'Angleterre accompagnait le roi depuis 1660. Aujourd'hui, elle escorte la reine.

[1] La garde royale.
[2] Les Blues and Royals.

[3] Les horse-guards escortent la reine, les princes Charles et Philip, et le duc de Kent.

[4] Un life guard à Whitehall.
[5] L'arrivée de la reine est annoncée par le trompette des Blues and Royals.
[6] Le cortège des Blues and Royals ouvre la marche.

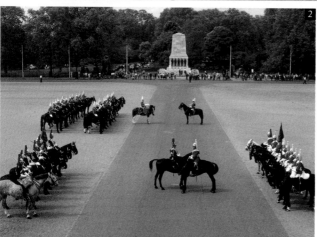

[1] Fanfare montée de la garde royale.
[2] La cérémonie de la relève de la garde à Whitehall est une grande attraction touristique.

[3] Dans les écuries royales, le carrosse du sacre
est attelé avec ses 12 chevaux en tenue d'apparat.

3 [1-2-3] La police montée canadienne défile dans une cérémonie officielle.

[4-5-6] Aujourd'hui, la police montée canadienne est l'équivalent de notre gendarmerie nationale.

Métiers
du cheval

Dans l'élevage, un poulain exceptionnel peut arriver alors que ses parents n'étaient pas de grands champions.

Éleveur de chevaux et cavalier : voici deux métiers de passion, ayant chacun leurs attraits et leurs exigences. L'éleveur, qu'il soit directeur de haras privé ou chef d'exploitation, se spécialise en général dans une race et propose ses animaux à la vente.

La route est longue avant la mise sur le marché du cheval : en général, le poulain ne quitte pas le haras avant l'âge de quatre ou cinq ans, excepté s'il s'agit d'un pur-sang, auquel cas il est confié à un entraîneur vers deux ans. Excessivement onéreux, l'élevage des purs-sang reste néanmoins réservé à de rares privilégiés. Pour les autres, la patience est donc de mise...

Quant aux tâches qu'un élevage implique, elles peuvent sembler redoutables : il faut non seulement détecter les chaleurs des poulinières à présenter à la saillie ou à l'insémination, assister les juments lors des poulinages, choisir les étalons, sevrer les poulains, éventuellement les débourrer, mais également entretenir au quotidien le haras, nourrir, panser, voire entraîner, les bêtes. Même avec l'aide d'un garçon d'écurie ou d'un palefrenier, un éleveur ne peut s'accorder ni dimanche ni jour férié... D'autant que pour compenser les frais engagés dans toutes ces activités, il complète souvent, dans un premier temps au moins, l'élevage des chevaux par celui des bovins, qui présentent l'avantage d'être immédiatement rentables. Autrefois, les autodidactes avaient leur place sur le marché de l'élevage, mais les techniques de sélection et d'insémination sont devenues si pointues qu'il est désormais conseillé de passer par des écoles spécialisées.

Et si la vie d'un éleveur ressemble à un parcours du combattant, que dire de celle du cavalier

Éleveurs, cavaliers

professionnel ? Participer à des concours de renom exige une monture adéquate. Comment s'en procurer une sachant que les grands chevaux ne sont confiés qu'à des cavaliers ayant prouvé leur talent ? Quelques heureux élus parviennent à dépasser ce cercle vicieux, les autres doivent se tourner vers la vente de chevaux ou l'enseignement.

[1] Dans les élevages, Beaucoup de palefreniers sont des femmes.

[2] Les box sont en général tous équipés de portes basses pour que les chevaux puissent passer leur tête à l'extérieur.

[3] Lors des compétitions, beaucoup d'élevages transportent la nourriture de leurs chevaux dans des remorques tirées par des 4 x 4.

[4] Cheval mordant
sa mangeoire.
[5] Chez beaucoup d'éleveurs,
chaque cheval a droit à une
plante fleurie devant son box.
[6] Le cavalier constitue le
dernier maillon de la chaîne
des hommes s'occupant
des chevaux.

[1] Cavalier au concours d'obstacles de Badminton.
[2] Les chevaux couverts rentrent à l'écurie.
[3] Un cavalier fait galoper son pur-sang arabe.

[4] Joueurs de polo
en pleine action.
[5] Michael Stoute, fameux
propriétaire d'écurie.
[6-7] Cavalières au concours de
dressage de Badminton.

[1] Ce poulain vient de naître et se tient debout appuyé contre sa mère.
[2] Épreuve de dressage avec un frison.

[3] Chevaux au pré.

[4] Un cheval pinto se cabre lors d'un dressage.
[5] Des frisons s'ébattent en liberté dans un pré.
[6] Les juments poneys sauvages mettent bas en pleine nature.

363

L e métier de maréchal-ferrant s'est transformé avec le temps. Par le passé, le maréchal était l'homme indispensable du village, qui remplaçait les fers des animaux de trait usés à force de travail. N'ayant pas son pareil pour travailler le métal, il aidait également les charrons à ferrer leurs équipages.

Il faisait souvent office de forgeron et de serrurier. La disparition des bêtes de trait sur les routes et dans les champs conduisit les maréchaux à se reconvertir. Beaucoup se tournèrent vers la carrosserie, et quelques-uns trouvèrent des débouchés dans les clubs hippiques. Le ferrage actuel demande de maîtriser plusieurs matériaux, les alliages, l'aluminium, le plastique et le polyuréthane ayant tendance à remplacer le fer, de même que les clous cèdent la place à la colle. Le confort du cheval s'en trouve augmenté. Les activités équestres s'étant fortement diversifiées ces derniers temps, il fallut également trouver des ferrures adaptées : pour le skijoring et le polo sur neige, on crée ainsi des fers pouvant recevoir des crampons spéciaux ou des plaques à neige. Correction d'aplombs, de boiterie, réglages d'allure : le maréchal doit pouvoir fabriquer des fers pour tous les types de sabots. En cas de troubles locomoteurs, il fait appel au vétérinaire pour adapter la ferrure au problème du patient.

Seul un vétérinaire sur cent se spécialise en médecine équine. Ces vétérinaires doivent connaître les médecines classique et sportive. Acteurs importants de la « filière course », ils surveillent la santé des chevaux avant les compétitions et les remettent en forme à l'issue des

Maréchaux-ferrants et vétérinaires

épreuves. Ils conseillent les éleveurs, notamment en alimentation, et réalisent des vaccins et des vermifugations réguliers pour prévenir les principales maladies. En cas de complications, on les sollicite pour aider les juments à mettre bas.

[1-2-3] Avant de ferrer un cheval, il faut bien nettoyer les sabots, les limer puis clouer le fer chaud.

366

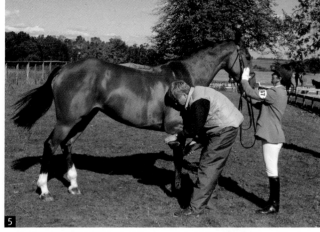

[4] C'est avec des pinces que le maréchal-ferrant enlève les vieux fers.
[5-6] Les vétérinaires examinent souvent les membres des chevaux, parties les plus fragiles et les plus importantes.

[1-2-3] Autrefois, chaque village possédait son maréchal-ferrant. La profession a aujourd'hui retrouvé un nouvel essor grâce au développement du tourisme équestre.

[4 à 7] Les vétérinaires pratiquent une médecine ultra-sophistiquée, notamment sur les chevaux de course.

369

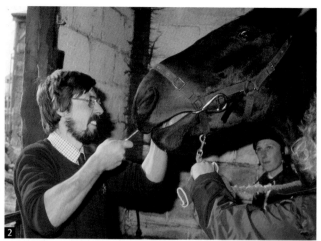

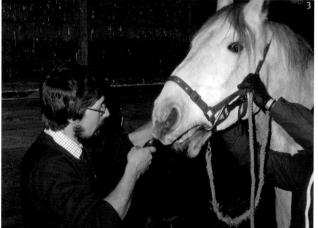

[1-2-3] Les vétérinaires des chevaux font aussi office de dentiste, car ceux-ci, comme les humains, souffrent de rages de dents. Ce vétérinaire racle les dents du cheval.

[4] Avant le départ d'une compétition, le vétérinaire vérifie l'état des pattes d'un cheval.
[5] Après l'effort intense d'une course, le vétérinaire examine un cheval.
[6] Le vétérinaire surveille le cœur d'un cheval après l'effort.
[7] Les vétérinaires surveillent aussi la sueur chez un cheval.

L e palefrenier est un personnage incontournable des écuries. C'est à lui qu'incombe d'entretenir les box, de curer les sabots des chevaux, de brosser leur poil et leur crinière, de changer leur litière, de les nourrir. Il surveille l'état moral et physique des animaux et sait mieux que quiconque déceler en eux les premiers signes d'un trouble.

Les grooms, dans les élevages, sont chargés de promener les chevaux, le plus souvent sans les monter.

En cas de maladie ou d'accident, il donne au cheval les médicaments prescrits par le vétérinaire, change ses pansements ou l'emmène dans de longues promenades pour le rééduquer. L'écurie étant le principal lieu de travail de ce dévoué personnage, les chevaux entretiennent avec lui une réelle complicité, au point que certains dépérissent s'il est amené à partir. En général, un palefrenier doit s'occuper d'une dizaine de bêtes. Sa journée commence à 6 heures du matin, par la distribution de la nourriture, le nettoyage et le graissage des selles et des harnais, et l'entretien des boxes. Elle est interrompue par les trois ou quatre repas qui suivent et se termine tard le soir par un ultime coup d'œil aux chevaux. Si tout s'est bien passé, le palefrenier aura eu le temps de monter son animal favori l'espace d'une ou deux heures, bien que, dans les petites structures, où il doit en outre entretenir les manèges, les paddocks et les pâtures, il n'ait souvent pas le temps de pratiquer l'équitation.

Dans les écuries de course, les grooms, en plus du travail classique de palefrenier, peuvent être chargés du transport des bêtes et de leur échauffement sur les hippodromes préalablement aux épreuves. En fin de journée, à l'issue des courses, ils réceptionnent les chevaux dans les écuries.

Palefreniers et grooms

Lorsqu'ils ont démontré leur talent, ils deviennent souvent les hommes de confiance des entraîneurs, si ce n'est entraîneurs eux-mêmes ou responsables d'écurie.

Ce métier est essentiellement exercé par des jeunes, qui ont obtenu un CAPA (certificat d'aptitude professionnelle agricole) de palefrenier-soigneur par voie scolaire ou par apprentissage.

372

[1] Le propriétaire d'un élevage passe beaucoup de temps avec ses chevaux.
[2] Ce quarter horse se promène avec son groom.

[3] Le van de ce cheval arbore les prix qu'a obtenus celui-ci.

[4 à 7] Le groom sort le cheval de l'écurie, le laisse manger, l'étrille. Cette opération se fait en général deux fois par jour.

[1 à 4] Le travail du palefrenier est d'entretenir le cheval en l'étrillant, en lui nettoyant les sabots et en bandant ses membres.

[5] Une femme groom fait trotter un cheval.
[6] Ces poneys accompagnés d'un groom partent pour un match de polo.
[7] Un groom mène un cheval au pré.

377

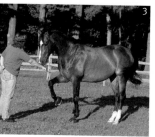

[1-2] Après l'exercice, le palefrenier lave le cheval.
[3-4] Le palefrenier récompense un cheval en lui offrant une friandise.

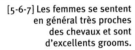

[5-6-7] Les femmes se sentent en général très proches des chevaux et sont d'excellents grooms.

[2] C'est au palefrenier que revient la charge de tresser la queue des chevaux.

[1-3] Le matériel pour entretenir un cheval est surtout composé de peignes et d'étrilles.

[4] On fait toujours galoper en pleine nature les poneys de polo avant chaque match.
[5] Le cheval aime être récompensé par des fleurs, qu'il mange, bien sûr.
[6] La sortie des chevaux se fait très tôt le matin.

[1-2-3] La nourriture des chevaux est essentiellement faite d'herbe broutée dans les prés, mais les champions ont droit à des régimes de faveur faits de suppléments en graines comme l'avoine et de granulés bourrés de vitamines.

[4] On donne souvent un complément d'avoine aux juments qui allaitent leur poulain.
[5] À l'écurie, notamment l'hiver, les chevaux sont nourris avec du foin.

L'apprentissage de l'équitation peut avoir lieu très jeune, mais sous l'autorité de professeurs diplômés et compétents.

Le développement de l'équitation sportive et touristique a entraîné la multiplication des centres équestres et, par la même occasion, une forte augmentation du nombre d'enseignants et de guides de randonnée. Le sens de la pédagogie et une longue pratique de l'équitation sont des gages de réussite dans ces domaines mais ne suffisent pas.

En réalité, le terme d'« enseignant » regroupe dans les disciplines sportives trois catégories de formateurs : les moniteurs, qui sont diplômés du brevet d'État du premier degré, les instructeurs (deuxième degré) et les professeurs (troisième degré). Ces derniers se voient souvent confier des tâches d'envergure, où l'enseignement stricto sensu représente une activité marginale. En véritables gestionnaires, ils doivent adapter les services offerts aux besoins du public, contrôler la propreté du club et la qualité de l'accueil, définir le contenu pédagogique, planifier l'ensemble des activités d'animation, gérer l'équipe des moniteurs, assurer et contrôler le renouvellement des montures et veiller à la sécurité des enfants et des adultes.

La Fédération des randonneurs équestres français et la Délégation nationale au tourisme équestre sont les deux grands groupes régissant l'encadrement des randonneurs à cheval. Les responsabilités incombant au guide équestre sont lourdes, celui-ci veillant seul au bon déroulement de la randonnée. Ce qui sous-entend d'avoir planifié à l'avance l'itinéraire et d'avoir réglé la question du gîte et du couvert pour les promeneurs, et de l'alimentation pour les montures. En cours de route, il peut être amené à soigner les chevaux et doit pouvoir détecter les

Enseignants et guides

boiteries, les troubles respiratoires et autres. Quelques bases en médecine équine se révèlent donc indispensables. On attend aussi de lui qu'il démontre ses talents d'animateur : il lui revient le soin d'organiser les soirées et de développer l'aspect touristique de la randonnée en proposant à ses clients de visiter des sites d'intérêt ou d'assister à des spectacles.

[1-2-3] Les leçons d'équitation apprennent aux enfants à monter à cheval mais aussi à respecter l'animal.

[4-5] Dès les premières leçons, on apprend à diriger son cheval pour qu'il passe des obstacles, ici de simples poteaux de bois au sol.

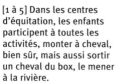

[1 à 5] Dans les centres d'équitation, les enfants participent à toutes les activités, monter à cheval, bien sûr, mais aussi sortir un cheval du box, le mener à la rivière.

[6 à 9] Les leçons d'équitation pour les enfants sont souvent faites par des professeurs très exigeants, qui demandent aux apprentis cavaliers de respecter une discipline stricte.
[10] Dans les écoles d'équitation, on apprend aussi à nourrir son cheval.

389

Chevaux
au naturel

Ce petit poulain de quelques
jours est un dartmoor, race
ancienne de poneys anglais
vivant en semi-liberté.

C'est au printemps que les juments mettent bas, après un peu plus de onze mois de gestation. La naissance d'un poulain est toujours un spectacle émouvant, bien qu'il soit difficile à observer, les juments poulinant en général la nuit, dans un endroit calme et bien caché. Le petit foal (nom donné au poulain jusqu'à six mois) se présente par les antérieurs.

Viennent ensuite la tête puis l'arrière-main. Dès qu'il est sorti, sa mère le lèche pour le nettoyer, le réchauffer et découvrir son odeur. De son côté, après quelques inévitables tentatives maladroites et infructueuses, le nouveau-né se met debout. Il part alors en quête d'une mamelle à téter, pour boire le précieux colostrum, ce premier lait riche en anticorps et en protéines. La première semaine, il tète tous les quarts d'heure et commence déjà à goûter l'herbe du pré. À quatre mois environ, il broute régulièrement, mais le lait est encore nécessaire à son développement. À l'état naturel, un poulain peut téter jusqu'à dix-huit mois, voire deux ans, mais les éleveurs pratiquent en général le sevrage à six mois. Le poulain est alors séparé de sa mère de manière plus ou moins brutale. Pour que l'expérience ne soit pas traumatisante, on évite de l'isoler : au contact de ses congénères, le poulain fait l'apprentissage de la vie en société... Après un temps d'adaptation, le voici donc jouant avec les poulains de son âge, enchaînant ruades, cabrages et courses-poursuites mâtinées de morsures amicales. Cette vie de groupe a aussi ses codes. Devant ses aînés, le

Poulains

poulain adopte une attitude de soumission, qu'on appelle *snapping* : le cou tendu vers l'avant, il ouvre et ferme la bouche alternativement et remue les oreilles latéralement sitôt qu'un adulte (ou qu'un homme) s'approche de lui. Ce rituel cesse vers l'âge de trois ans, un peu plus tôt chez les mâles, qui ont un instinct de domination plus développé que les femelles.

[1-2] Les poneys dartmoors ont une morphologie adaptée à l'équitation pour enfants ; leur très bon caractère leur permet d'être des poneys d'initiation et d'utilisation en toutes disciplines.

[3-4] Les juments dartmoors sont prolifiques ; très bonnes laitières, elles poulinent à 99,9 % toutes seules. Ces poneys vivent très vieux. À 30 ans ils sont en général encore très alertes.

3 [1-2-3] Les gelderlands, appelés aussi chevaux de la Gueldre, sont élevés au centre des Pays-Bas, et ont été créés à partir des races oldenbourg, anglo-normandes et de chevaux locaux en 1875. Aujourd'hui, cette race est menacée.

[4-5] Les rares chevaux dülmens qui vivent aujourd'hui sont dans la réserve de Merfelder Bruch, en Allemagne. Ils descendent d'un croisement de chevaux sauvages qui vivaient dans la région avec des chevaux domestiques qui auraient repris leur liberté. Des textes du Moyen Âge font mention de ces chevaux. C'est une race en voie d'extinction.

397

1 2

3 [1-2-3] Le poulain hanovre passe ses journées en liberté avec sa mère avant de devenir un sauteur puissant et très endurant, brillant en obstacles et en dressage.

[4-5] Le freiberger ou franches-montagnes est la seule race suisse. Poulain, il est très à l'aise sur les chemins de montagne ; d'ailleurs, « Freiberger » signifie : « celui qui franchit librement les montagnes ». Dressé, il sera une cheval d'extérieur gentil et très docile.

399

[1] Ce poulain exmoor appartient à la race de poneys la plus ancienne de Grande-Bretagne.
[2] Cette jument et son petit sont de la race groningue. Originaire de Hollande, elle est en voie de disparition.

[3] L'andalou a hérité du surnom de « noble cheval ».

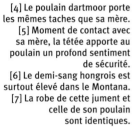

[4] Le poulain dartmoor porte les mêmes taches que sa mère.
[5] Moment de contact avec sa mère, la tétée apporte au poulain un profond sentiment de sécurité.
[6] Le demi-sang hongrois est surtout élevé dans le Montana.
[7] La robe de cette jument et celle de son poulain sont identiques.

[1-2-3] Le poney dartmoor vit toute son enfance en totale liberté dans les régions marécageuses du Devon.

4 **5**

[4-5] Le welsh cob est un petit cheval râblé et trapu, à la tête fine. Il a gardé la rusticité, la résistance et la puissance du poney, et la conformation, la rapidité et l'action très brillante du cheval.
[6] Première sortie d'un poulain avec sa mère.

6

1

2

3 [1-2] La robe foncée du poulain falabella contraste avec celle de sa mère.
[3] Les poulains du même âge aiment jouer ensemble.

[4] À l'extérieur, le poulain ne s'éloigne jamais de sa mère.
[5-6] La grâce du cheval andalou se devine déjà chez les poulains.

3 [1-2-3] Les robes des poulains et celles de leurs mères ne sont pas toujours identiques. Beaucoup de races de chevaux donnent des poulains dont la robe foncée à la naissance va s'éclaircir avec l'âge.

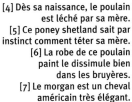

[4] Dès sa naissance, le poulain est léché par sa mère.
[5] Ce poney shetland sait par instinct comment téter sa mère.
[6] La robe de ce poulain paint le dissimule bien dans les bruyères.
[7] Le morgan est un cheval américain très élégant.

[1] Il ne faut que quelques minutes pour que le poulain se dresse sur ses pattes.
[2] Les poulains s'allongent souvent ; adultes, ils resteront la plupart du temps debout, même pour dormir.

[3] Le poulain arabe possède déjà toute la morphologie de sa race : fin, élégant et racé, au dos court et à la croupe plate (il a moins de vertèbres que les autres), au chanfrein plus ou moins concave, aux grands yeux, aux petites oreilles, aux membres fins et secs, à l'attache de queue haut placée ; la queue est souvent portée dressée, en panache.

[1-2-3] Les juments arabes donnent naissance, suivant l'étalon qui les a saillies, à des poulains que les spécialistes distinguent en trois grands types morphologiques : le kehailan, le muniqi et le siglary.

[4-5] Les membres antérieurs écartés, ces poulains qui viennent de naître ne sont pas encore très stables.

La couleur presque noire
de ce poulain andalou est
très recherchée, la plupart
ayant une robe grise ou bai.

Associée à l'âge, à la taille et à la race, la robe représente ce que l'on pourrait appeler la « carte d'identité » du cheval. Les robes, simples ou composées, se déclinent en une infinie variété de couleurs, allant du noir franc au gris le plus clair, en passant par le bai, l'alezan, le pie, l'aubère. Des codes ont été établis pour en classifier les différents types.

Ainsi, les robes simples correspondent-elles au code BANC (pour blanc, alezan, noir, café-au-lait), tandis que les robes composées se divisent en deux sous-catégories : le sigle BIS (pour bai, isabelle, souris) désigne des robes unies terminées par des crins noirs, et les robes du sigle GAL (gris, aubère et louvet) sont constituées de deux poils mélangés. Les couleurs pie et rouan, mélange de poils noirs, blancs et rouges, échappent à cette classification.
À l'instar du brumby australien, du selle français ou de l'islandais, quelques races de poneys et de chevaux acceptent tous les types de robes, bien qu'une couleur prédomine souvent : ainsi, la majorité des selles français présente une robe alezane. Beaucoup de races acceptent l'ensemble des robes unies : c'est le cas du pur-sang, du quarter horse, du salerne italien, du holstein ou encore du trakehner. L'appaloosa, élevé aux États-Unis, est reconnaissable à sa robe exclusivement tachetée. Chez les chevaux de race primitive, la plus répandue est la robe isabelle, avec toutes ses nuances de jaune.
Des particularités sur le visage et les membres permettent également d'identifier un cheval : les listes, marques blanches sur le chanfrein, sont

Robes

dites larges, ininterrompues ou courtes. On appelle « belle face » une liste qui recouvre tout le visage, et une « étoile en tête » une marque blanche en forme de losange entre les yeux. Les balzanes, répandues chez les chevaux de sang, sont des traces blanches au-dessus des sabots. Lorsqu'elles atteignent le genou, on les dit « haut chaussées ».

[1] Le poney new-forest arbore toujours une robe unie, en général baie.

[2] Chez ce jeune trakehner, on aperçoit les bandes blanches en bas de ses membres. Ce sont les balzanes.

[3] Chez les halflingers, la couleur claire de la crinière contraste avec celle de la robe.

[4] Les couleurs des robes des chevaux sont mentionnées par des abréviations comme : AP pour appaloosa, BA pour bai, BL pour noir, CH pour alezan, DB pour bai brun, DC pour alezan brûlé, DU pour isabelle, GR pour gris, LB pour bai clair, PA pour palomino, PB pour pie, RO pour rouan.

4

3 [1-2] Les holsteins portent un blanc sur la tête, on dit que c'est une trace de liste.
[3] Les couleurs admises pour les robes des lusitaniens sont le gris, le bai et le noir. Les plus beaux ont une robe très brillante.

[4] Ce cheval knabstrup arbore sa robe caractéristique, dite de « léopard ».
[5] Les quarters ont des robes de couleurs très différentes. Ce cheval est réputé pour ses démarrages foudroyants.
[6] Ces poneys à la robe blanche se confondent avec la neige.

[1] Ce jeune poulain islandais vient de naître.
[2] Les poneys exmoors ont une robe bai, bai sombre ou souris.
[3] Poulains dartmoors en totale liberté.

[4] Les holsteins portent des balzanes sur les membres.
[5] La robe de ce poulain groningue deviendra très sombre, comme chez tous les membres de sa race.
[6-7] Ces jument, poulain et poneys arborent une robe pie.

[1] Cette jument gelderland a des traces de couleur chair sur le museau ; ce sont des ladres.
[2] Le pinto américain a souvent une robe pie.
[3] Ce cheval andalou a une robe très claire.

[4] Cet étalon a une robe pie, les Anglo-Saxons disent paint.
[5] Ce poney exmoor a une robe baie.
[6] Ce poulain a une robe dite « appaloosa ». Elle est blanche tachetée de points noirs.
[7] La crinière dorée des haflingers est une caractéristique de la race.

421

[1-2-3] Les robes pie, ou paint, sont très recherchées pour les chevaux de parade ou d'exhibition. Elles sont fréquentes chez les poneys et les chevaux nains.

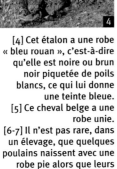

[4] Cet étalon a une robe
« bleu rouan », c'est-à-dire
qu'elle est noire ou brun
noir piquetée de poils
blancs, ce qui lui donne
une teinte bleue.
[5] Ce cheval belge a une
robe unie.
[6-7] Il n'est pas rare, dans
un élevage, que quelques
poulains naissent avec une
robe pie alors que leurs
parents ont une robe unie.

[1-2] La robe noire, surtout lorsqu'elle est brillante, est une des couleurs les plus recherchées.
[3] Les robes grises des chevaux andalous sont souvent piquetées de taches blanches.

[4] Ce cheval porte aux quatre membres des balzanes blanches et arbore une liste sur le museau.
[5] L'étalon noir andalou, le plus rare et le plus précieux.

D'instinct grégaire, le cheval vit en troupeau à l'état sauvage. Nomade, il peut parcourir des distances considérables à la recherche de nouveaux pâturages. Les hardes de chevaux sont composées de plusieurs « familles » dont le chef incontesté est l'étalon reproducteur.

Chargé d'assurer la cohésion du groupe, il empêche toute dispersion pendant les déplacements et maintient ainsi ses juments à distance des étalons rivaux. De sa position de dominant, il tire quelques privilèges : à lui la première lampée d'eau fraîche quand le groupe a gagné la mare, à lui aussi la meilleure place quand vient l'heure du repos. Les poulains se risquent parfois à empiéter sur son territoire, mais la menace d'un coup de pied suffit en général à les déloger. Ces derniers quittent leur famille vers deux ou trois ans, soit d'eux-mêmes, soit chassés par l'étalon adulte. Ils rejoignent alors d'autres jeunes mâles dans leur situation. Ensemble, ils s'amusent à se livrer à des combats fictifs en attendant d'approcher des pouliches et de devenir, à leur tour, « chefs de famille ». Ces jeux leur apprennent à défendre leur place au sein du groupe. Adultes, les chevaux gardent leur tempérament joueur. Bousculades, courses-poursuites, fuites simulées devant de faux dangers : tout est bon pour se défouler !

Très expressifs, les chevaux peuvent manifester leurs émotions et leur humeur de mille et une manières. Leurs petites oreilles mobiles sont particulièrement parlantes : pointées vers l'avant, elles signifient que l'animal est confiant et attentif ; plaquées vers l'arrière, elles disent son mécontentement ou sa douleur ; écartées et relâchées, elles révèlent son ennui. Sa voix est égale-

Les attitudes de la liberté

ment riche de nuances : le cheval hennit pour localiser les membres éloignés de la harde, renâcle en présence d'un danger, soupire lorsqu'il est satisfait, s'ébroue pour intimider un rival, etc. Son affection s'exprime au cours du toilettage : tête-bêche, deux partenaires se gratouillent mutuellement à la base de l'encolure. En bref, si le cheval ne parle pas, son corps parle pour lui.

[1] Les camarguais vivent à l'état sauvage, dans le delta du Rhône.
[2] Le siciliano est un cheval particulièrement robuste, qui résiste très bien à la fatigue.

[3-4] Les islandais sont à l'aise sur tous les terrains.

3 [1-2-3] La plupart des chevaux ne craignent pas le froid et peuvent rester dehors toute l'année. Courir dans la neige fortifie les muscles de leurs membres.

[4-5-6] Dans un pré recouvert de neige, les chevaux grattent le sol avec leurs sabots pour atteindre l'herbe enfouie. Ils apprécient cette verdure car elle est gorgée d'eau.

1 **2**

3 [1-2-3] En Norvège, les poneys passent la plupart de leur temps dehors en plein hiver. Des températures de − 40 ° C ne les empêchent pas de jouer avec la neige.

[4-5-6] Les holsteins sont des chevaux élevés en Allemagne, où ils passent l'hiver dehors. [7] Le württemberg est aussi un cheval allemand qui ne craint pas les hivers rigoureux.

433

[1] Cette jument lèche son poulain nouveau-né.
[2] Le printemps est là, avec la naissance des premiers poulains holsteins.
[3] Les marais salants sont le domaine des camarguais.

[4] Une jument et son poulain franches-montagnes dans un pré au printemps.
[5] Ce poulain hanovre se repose dans un pré en Allemagne.
[6] Le hanovre fut créé à l'origine pour la cavalerie et l'attelage.

435

[1] Le petit shetland tète sa mère.
[2] Ce poulain falabella ne quitte pas sa mère.
[3] Un groupe d'haflingers broutent l'herbe fraîche.

[4-5] Les camarguais sont toujours en groupe. Ils appartiennent à une manade.
[6] Les jeunes chevaux aiment bien se frotter les uns contre les autres.
[7] Tous les chevaux aiment l'eau, car elle les aide à se débarrasser de leurs parasites.

[1-2-3] La beauté et l'allure des andalous se révèlent lorsqu'on les laisse s'ébattre en totale liberté.

[4] Ce holstein hennit.
[5-6] En liberté, les chevaux galopent. Le trot n'est pas une allure naturelle chez le cheval.

[1] Les fjords sont des chevaux qui aiment vivre en groupe.
[2] Cet étalon haflinger broute l'herbe printanière.
[3] Ce cheval arabe raffermit ses muscles dans la neige.

[4] Le fjord est un cheval très rustique qui aime rester dehors par tous les temps.
[5] C'est au galop que l'on peut admirer la crinière de ce haflinger.
[6] Chez les chevaux de race, la liberté reste toujours surveillée, et les sorties se font toujours dans des enclos.

[1] Le poulain emboîte le pas de sa mère.
[2] Les poneys shetlands sont souvent parqués dans des landes remplies de bruyères.

[3] Un poulain paint (qui est aussi une couleur) avec sa mère au pré.
[4] Ce poulain d'un poney sauvage cherche sa mère.
[5] Même en liberté, l'andalou adopte une allure altière.

443

[1-2] Ces poulains ont une robe pie, ou paint. Aujourd'hui, ces chevaux à robe tachetée sont devenus une race à part entière. Auparavant, ils étaient regroupés avec les quarter horses.

[3] Ce magnifique étalon haflinger se reconnaît à sa queue et à sa crinière blanche et très soyeuse. Il n'est pas rare de voir un haflinger avec la crinière des deux côtés du cou et la plus longue possible. Il possède aussi une liste blanche du front jusqu'aux naseaux.

[1-2-3] Le cheval sauvage vit en troupeau et apprécie la présence de ses congénères.

[4-5] Les chevaux sauvages sont en réalité des descendants de chevaux domestiques retournés à l'état sauvage.

447

Cette robe tachetée
spectaculaire est l'une des
principales caractéristiques
du knabstrup.

Positions saugrenues, mimiques étranges : les chevaux adoptent parfois des attitudes qui piquent notre curiosité, éveillent notre tendresse ou nous invitent franchement à rire. Ainsi cette jument frappant du pied une flaque de boue avant de se rouler dedans. Ce petit poulain bondissant autour de sa mère impatiente. Ces deux congénères faisant gentiment connaissance naseau contre naseau.

Cet étalon, subitement inquiet pour une raison qui nous échappe, dilatant soudain les naseaux et pinçant les lèvres. Ce poney, fermant les yeux à demi en signe de bien-être. Ou encore ces mâles dominants se défiant quelquefois dans des galops parallèles...

Le rituel de la séduction est à l'origine d'un comportement dont il est amusant d'être le spectateur. Le mâle qui a détecté l'odeur d'une jument en chaleur tend la tête vers le ciel et retrousse la lèvre du haut, ce qui lui donne l'air de sourire. Tous les chevaux prennent d'ailleurs cette attitude (qu'on appelle le flehem) lorsqu'ils ont repéré une odeur chargée ou inhabituelle. Puis le mâle se met à parader devant la femelle en poussant des hennissements tonitruants. La belle cependant n'est pas toujours bien disposée à son égard et, dans ce cas, elle ne manque pas de s'ébrouer bruyamment pour lui signifier son hostilité.

Enfin, il y a tous ces chevaux qui nous intriguent et nous amusent, soit parce que la nature les a dotés d'une marque ou d'une robe singulières, soit parce que les hommes, lors de cérémonies ou de fêtes folkloriques, les ont engoncés dans des costumes fantaisistes. Ils défilent alors

Drôles de chevaux

dans les rues, devant les yeux admiratifs et attendris de leurs amis humains, affublés de diverses coiffures et parures : queue et crinière tressées, plumes bariolées portées haut sur la tête, frange artificielle tombant entre les yeux, harnais somptueux ou bizarres.

[1] Le contact en se léchant est très fréquent chez les poulains.
[2] Pour se débarrasser des parasites, les chevaux font des roulades dans l'herbe.
[3] Ses membres postérieurs permettent au poulain de se gratter.

4 **5**

[4-5] Ces jeunes chevaux hongrois jouent. Ces jeux sont les prémices de la lutte qui les opposera lorsque les juments seront en chaleur.
[6] Ce poulain franches-montagnes s'essaye à hennir.

6

[1-2-3] En Camargue, la saillie des femelles se fait en pleine nature. Les mâles se battent souvent pour la conquête des juments.
[Page de droite] Cet étalon haflinger arbore sa liste, sa crinière et sa queue blanches.

[1] Lorsque le cheval se cabre, c'est en général pour impressionner un autre mâle. [2] Ce magnifique cheval américain arbore une robe crème.

[3] En liberté, le frison est un cheval rapide et élégant. Chez cette race, la robe noire, avec beaucoup de crins, est devenue une caractéristique (les chevaux porteurs du gène alezan sont recherchés et impitoyablement écartés de la reproduction).

[1-2-3] Les camarguais vivent en manades, sous la surveillance lointaine de l'homme.

[4-5] Deux étalons camarguais s'affrontent.

3 [1-2-3] Les étalons fjords sont soigneusement sélectionnés, en fonction surtout de la couleur de leur robe.

[4-5] Les fjords sont une race très ancienne ; c'étaient les chevaux des Vikings.
[6] Un cheval pie se cabre.
[7] Tous les chevaux aiment l'eau, certains plus que d'autres, n'hésitant pas à s'y coucher même lorsqu'ils sont montés.

459

Index